混迷するベネズエラ

21世紀ラテンアメリカの政治・社会状況

住田育法・牛島 万
［編著］

明石書店

はしがき

パンデミック発生直前の二〇一九年一一月八日と九日の両日、京都外国語大学ラテンアメリカ研究所の第一九回ラテンアメリカ研究講座が開催された。「ベネズエラを巡る二一世紀ラテンアメリカの政治・社会状況」をテーマに、京都外国語大学ラテンアメリカ研究所の研究員に加えて、ベネズエラに関心をもつ研究者が集い、イデオロギーや研究分野の枠を越えて議論をかわした。本書はこの研究講座を踏まえて、報告者が原稿を整えて執筆した成果集である。内容は、報告者の多様な立場ならびに学際的な専門分野をいかすため、編集による画一的な意見の統一をできるだけ避けることにした。文章表現のスタイルも読者の妨げにならない範囲で、執筆者の個性を残している。また、反米と親米、保護主義と開放主義、開発優先と格差是正など、対立する理念をそのまま受け入れ、多様な視座からの考察と議論を尊重した。

歴史をさかのぼると、二〇世紀八〇年代のラテンアメリカはハイパーインフレの収束を願う議論に明け暮れていた。通貨の下落が経済を破綻させ、ブラジルなど多くの国で有利な外貨を求める出稼ぎ現象が生まれた。そして二一世紀の二〇年代、コロナ禍収束を求めるラテンアメリカを含むグローバルな話題が世界を覆っている。

先の講座では参加者の複眼的なまなざしを重視した。森林火災による地球環境問題で悩む広大なアマゾン川流域（アマゾニア）でつながるベネズエラとブラジルの国境地帯、そして豊かな石油資源に特化できるカリブ海に面するスペイン語圏ベネズエラとメキシコの国際関係にわたしたちは注目した。

まず野口茂（天理大学）は、「《人の移動》から読み解くベネズエラ現代史」を取り上げた。政情不安が続くベネズエラから今、大量の移民・難民が国外脱出している。しかし同国は産油国として、また「移民受け入れ国」として繁栄を謳歌した歴史をもつ。こうした「人の移動」という観点からベネズエラ経済の盛衰を紐解き、諸問題の歴史・構造的要因をさぐり、ベネズエラの「移民送出国」への変化の展開を二一世紀における「出移民の動き」と「エクソダスの要因」から幅広くまとめている。

村上勇介（京都大学）は第2章で「比較のなかのベネズエラ――ほかのラテンアメリカ諸国との共通性と相違点」を論じる。ベネズエラ研究では複数の研究者によって多くの分析がなされているが、比較の観点から捉えられる機会は必ずしも多くないと述べ、チャベス政権の成立までと成立後の展開について、ほかのラテンアメリカ諸国と比較し、共通性と相違点を考察する。具体的には、一九三〇年以降の国民国家形成期に至る最初の「決定的契機」と一九八〇年前後の二つ目の「決定的契機」を示し、ベネズエラとペルーの二つの例を挙げてチャベス政権成立以前と以後の構成となっている。最後の「比較についての補足」では、「平等の追求だけでは十分ではない。自由と平等をバランスさせながらどのように実現するのかが究極の課題だ」と指摘する。

第3章で岡田勇（名古屋大学）は「比較の視座からのベネズエラの一九九九年憲法改正」と題して、ベネズエラの憲法改正を比較の視座に立って考察する。チャベス政権の問題点について、同政権が行った憲法改正が問題であったとするハビエル・コラレス米アムハースト・カレッジ教授の説を紹介しながら、今日のベネズエラの危機をボリビアやエクアドルとの比較から論じる。チャベス政権が行き場のない危機に陥った根本的な原因は、一九九九年の憲法改正にあるのではないかと語り、憲法改正の性格に関して、ベネズエラはエクアドルやボリビアとは異なる道をたどったと結んでいる。

第4章ではこれまでの章に比べて執筆者の視座が変化する。チャベス派のマドゥロ大統領を支持する新藤通弘（アジア・アフリカ研究所）は「ベネズエラ、何が真実か？」と題して、具体的な意見の異なる複数の事例を示している。「二人の大統領」つまりマドゥロ大統領とグアイドー暫定大統領の正当性の検討、経済危機の原因と現状、人権と政治弾圧、人道危機と自決権、国民の支持、米国の干渉と制裁、新たな「東西対決」論などについて、国際報道の信憑性や問題の解決をめざしての問題提議を試みる。問題の解決では、与野党対話のメカニズムの合意、制裁と内政干渉の否定、米国などの軍事介入への反対意見を掲げ、政府と一部野党との国民的テーブルの設置のプロセス合意を評価する。

山崎圭一（横浜国立大学）は第5章で「ベネズエラの民主化を阻む国際的同調圧力」を論じる。「左派」政権潰しの巨大なマシン（仕組み）が機動しており、これによって、ベネズエラは未曾有の経済危機に陥ったとみなす。ベネズエラ危機の原因は、チャベス―マドゥロ政権の経済失政説が主流であるが、米国の学者から異論（米国経済封鎖主因説）が出始めており、こうした異論を紹介、検討する。「私見」と断って、ベネズエラが産業構造の多様化に失敗したことは間違いないが、すべての国について多様化は難しく、これが簡単にできている途上国は皆無ではないかと指摘する。経済封鎖より先に原油価格の下落がはじまり、マイナス成長となったことは確かだが、米国については、そのタイミングで経済封鎖が追い打ちをかけたと強調する。さらに本章の目的は、現在進行中のベネズエラ危機が日本にとってどのような意味と意義を有するかを考察することであると強調する。

ラテンアメリカ研究講座では、二日間にわたる報告を受けて、南米ブラジルからの視座で住田育法（京都外国語大学）が、続いて北米メキシコからの視座で牛島万（京都外国語大学）が総括のための話題提供を行った。本書では第6章で「ブラジルからのベネズエラへの視点――権威主義とポピュリズムの力」と題してアマゾン地域からベネズエラに隣接するブラジルについて住田が述べる。カリブ海をはさんでベネズエラに対峙するメキシコからの視点は、牛島が第7章で「メキシコの不干渉主義の今日的意義――対米協調とベネズエラとの外交展開」について米国を巡る構図を描いた。

ところで編著者は二一世紀に入って毎年八月、調査のために南米ブラジルを訪問してきた。その際、太平洋から北米を経由して、西から東のルートでパナマからブラジル国内を縦断してリオデジャネイロ空港へ向かうのが常であった。しかし夏季オリンピックが開催された二〇一六年は都合により、いつもとは逆にヨーロッパ経由で東から西に向けてリオデジャネイロへ飛んだ。例年のように南米大陸を縦断して早朝の太陽光線を浴びて着陸するのではなく、その年は昼間の大西洋を移動した。そのため目的地は同じでも、途中の旅客の雰囲気や窓外の風景がいつもと違っていた。それはちょうど、同じベネズエラを見つめながら異なる著者が異なる視座で考察することに似ているように思える。むろん研究の視座の違いを航空機の旅にたとえるには無理があろうが、同じ地点を出発して同じ目的地に向かうとき、ルートが違うと旅の印象が異なったことが編著者には鮮明によみがえってくる。講座の開催から執筆を進める過程で、わたしたちは多様なまなざしを大切にしたのである。

一九六〇年代から一九七〇年代において、ラテンアメリカではほとんどの国が軍政ないし権威主義体制の下に置かれたが、一九八〇年代に入ると各国で一斉に民政移管が進められた。この地域の民主化は世界における傾向のなかで主導的潮流を作り出したと評価できるものの、金融危機によるハイパーインフレで苦しんだのもこの時期のこの国々であった。

一九六二年創立のブラジリア大学創立者のひとりであるブラジルの人類学者のダルシー・リベイロ(Darcy Ribeiro: 一九二二〜九七年)は、フィールドワークによって先住民研究を行っていたが、晩年に「ブラジル人とは何か」を問う『ブラジル人(O Povo Brasileiro)』(一九九五年)を著した。そのなかで、ブラジルの人種と民族の多様性を踏まえて、ブラジルにおいては、混血によって新しい民の形成がなされ、この民の特徴は、ベネズエラ、コロンビア、キューバなどに共通すると述べている。メキシコやペルー、ボリビアなどの民は先住民の要素を遺す型、他方米国やカナダ、アルゼンチン、ウルグアイなどの民はヨーロッパの移民型であると一九七〇年に彼は著書『アメリカスと文明(As Américas e a Civilização)』で分類していた。地政学に加えて参考にしたい民族学・人類学からの視座である。

今回の出版は、研究講座に参加いただいた皆さんによってすすめることができた。講座直後のコロナ禍による大学の遠隔授業などで忙しくされるなか、時間を割いて執筆いただいた方々と面倒な編集の仕事をまとめてくださった明石書店神野斉編集部部長ならびに編集ご担当の岩井峰人さんに心からお礼を申しあげる。

ベネズエラを巡る状況に対して執筆者の視線が複眼的かつ多様であることに意義を見出すこともできよう。読者のご批判、ご叱責を請う次第である。

また絶えず励ましのことばをかけてくださった京都外国語大学ラテンアメリカ研究所大越翼所長ならびにスタッフや研究員の皆様、さらに京都外国語大学より出版助成を受けたことに対し、謝意を表したい。

編著者　住田育法

ベネズエラ地図（2020 年現在）

出所：坂口安紀『ベネズエラ——溶解する民主主義、破綻する経済』（中公選書、2021 年）の地図をもとに編著者が修正した

目　次

第4章 ベネズエラ、何が真実か？ 新藤通弘……78

第6章 ブラジルからのベネズエラへの視点
――権威主義とポピュリズムの力 住田育法……155

第7章　メキシコの不干渉主義の今日的意義

第1章 「人の移動」から読み解くベネズエラ現代史

野口 茂

はじめに

未曾有の社会経済危機に直面するベネズエラから、いま大量の移民・難民[1]が流出し世界の注目を集めている。急進的な社会主義政策の行き詰まりや原油価格の下落によって国内経済は混乱に陥り、二〇一八年にインフレ率は一三万％を記録するに至った。[2] 反政府運動が活発化し、米国や中国などの

1 国連機関が集計するデータでは、紛争や迫害を逃れ国境を越えざるを得ない「難民」と、経済的理由から他国に生活の場を求める「移民」とを厳密に区別することが困難である。また、様々な境遇にある人々を「難民」と一括りに表現することが、誤った印象を与えてしまうこともある。そのため本稿では適宜、「移民・難民」と併記したり、（出）移民や国外移民といった表記を用いることにする。

国際社会を巻き込みながら政情は混迷の度を深めた。さらに食料・医薬品の不足や治安の悪化が人口流出に拍車をかけた。その結果、二〇一九年末までに人口の一割強にあたる約四八〇万人が国外に逃れたとされ、「南米最大の難民危機」であると国連機関は警鐘を鳴らす［IOM, UNHCR 2020］。統計上の不備や問題[3]を考慮したとしても、この出移民の動きが国内外に与える影響はあまりに大きいと言わざるを得ない。

しかし、同国は一九七〇年代まで石油産油国として繁栄を謳歌し、「移民受け入れ国」としての顔をもっていたことはあまり知られていない。石油の富を求めて一九四〇〜六〇年代にかけてはヨーロッパ移民が、そして七〇年代以降は近隣諸国から大量の移民が流入した。九〇年代、国内に滞留するコロンビア人は、不法就労者やその家族を含めると推計四〇〇万人にも上ったとされる。

さらに歴史を植民地期にまで遡れば、ベネズエラもまた他のラテンアメリカ諸国と同様に、スペインによる植民地支配を経てさまざまな混血が進んだ国の一つといえる。それにより、アフリカ系や白人、先住民、そしてモレノ（褐色系）など、実に多様な身体的特徴をもつ国民が形成されることになった。二〇一一年に実施されたセンサスによれば、自身のエスニック・アイデンティティをモレノと答えたベネズエラ人は国民の半数以上（五一・六％）に上った。しかしその一方で、白人と答えた割合も四三・六％と非常に高い数値であり、ほぼ二分されているのが特徴的だ。ちなみに黒人が二・九％、アフリカ系が〇・七％、その他が一・二％となっている［INE 2014］。

本章では、こうした「人の移動」という側面に焦点をあて、ベネズエラ現代史を以下の三つの時期に分けて紐解いていく。すなわち、一農業国から世界有数の石油産油国として変容する過程で、繁栄と混乱が交錯した独立期から一九九〇年代までの間、国内の政治経済に大きな変革をもたらしたチャベス（Hugo Rafael Chávez Frías）政権期、そして二〇一三年のマドゥロ（Nicolás Maduro Moros）政権誕生から現在に至るまでである。それぞれの時期における国内外の情勢と人の動きを明らかにしたうえで、二〇一六年以降とくに急増した出移民の状況を確認し、なぜ大量の移民・難民が流出する事態に陥っているのか、その歴史・構造的要因をさぐることにする。

1．移民受入国としてのベネズエラ

（1）独立から二〇世紀初頭まで

一九世紀初頭、ラテンアメリカ諸国はスペイン植民地支配からの独立をはたし、近代国家の建設をめざして経済開発を推し進めた。独立まもない当時、彼らが直面した問題は、独立戦争によって荒廃した国土の復興と、それを支えるための労働力確保であった。そしてそれらの問題の唯一の解決策として、多くのラテンアメリカの国々は移民の誘致政策を積極的に展開していくことになる。とくに先住民人口が稀薄で人口密度が低く、一農業国にすぎなかったベネズエラは、たんに移民

2　政府の影響下にある中央銀行の発表値。一方で、野党が過半数を占めるベネズエラ国会（当時）による独自集計では、同年のインフレ率は一七〇万％近くに達したとされる。

3　国際移住機関（ＩＯＭ）や国連難民高等弁務官事務所（ＵＮＨＣＲ）によるベネズエラ出移民のデータは、受け入れ国側の出入国管理局による報告に依拠している。そのため、不法入国者数はもちろん、その国に入国後定住したのか、家族訪問や商用による短期滞在か、あるいは第三国へ出国したのか等の動きが反映されていないことに留意する必要がある。

導入によって労働力の向上を図るだけでなく、未開墾地への入植と開発を進めることにより農産品輸出を拡大させる必要に迫られていた。こうした状況下で、とりわけ国家が奨励したのがヨーロッパからの白人移民であった。彼らには兵役や納税の免除、市民権の即時取得、入植地の無償譲与といった優遇措置を与えるなど、移民誘致に力を注いだ。このような政策の背景には、当時流布していた実証主義の理念と、そこから派生した人種論があった。つまりベネズエラ政府は、「ラテンアメリカの後進性と社会的混乱を払拭し近代化を図るためには、ヨーロッパ移民を導入して人種構成を改善（白色化）しなければならない」と強く認識していたのである［野口 2000］。

一八七〇年から約一九年にわたり独裁体制を維持したグスマン・ブランコ（Antonio Guzmán Blanco）将軍の時代には、こうした政策の効果によって、イタリアやドイツ、フランスからの移民増加がみられた。一八七四〜七七年にかけて、毎年三〇〇〇〜五〇〇〇人の移民が入国した。しかし、移民事業費の拡大が国家財政を圧迫したことや、熱帯地方独特の過酷な労働条件、そして奴隷制やアシエンダ（大土地所有制）などの植民地遺制が移民増加の妨げになり、やがて移民者数は漸減していくことになる。

二〇世紀に入ると、独裁者フアン・ビセンテ・ゴメス（Juan Vicente Gómez Chacón）による強権政治が二七年間（一九〇八〜三五年）にわたり続いた。彼は当初、これまでの政権と同様に農業を国の主要産業として捉え、ヨーロッパからの農業移民を導入することに積極的な姿勢を示した。しかし一九二〇年以降、石油開発による莫大な収益が得られるようになると、彼の関心は国内経済の発展から自らの独裁体制保持へと移っていく。彼の目には、ヨーロッパ移民は共産主義やアナーキズムを国内へ持ち込む反体制分子として映った。ゴメスは移民導入を厳しく制限し、また国内の外国人に対する監視も強化していった。

こうした経緯から、ベネズエラには一九〇〇年代前半まで、ヨーロッパからの大きな移民の波が押し寄せることはなかった。一九〇四〜三五年に米国が受け入れた移民は一七〇〇万人、アルゼンチンやブラジルはそれぞれ二四〇万人に上っていた。しかしベネズエラへ入国した移民者数は三万人にも達しないほどであった。ちなみに、海外移住を国策としていた当時の日本にとっては、アジア系を含むあらゆる有色人種の入国を禁止した一九一二年の移民法が大きな障壁となった。この差別的条項は一九六六年まで維持されたことから、戦前・戦後をつうじて日本人の組織的かつ大規模な移住は実現に至らなかった。

（2）戦後から一九九〇年代

先にみたように、ベネズエラは独立当初より期待したような移民の質と量を獲得することができなかった。しかしこの状況を劇的に変化させたのが、一九二〇年代から本格化した石油開発というプル要因と、スペイン内戦（一九三六〜三九年）や第二次世界大戦によるヨーロッパの混乱というプッシュ要因の合致であった。

ゴメス政権以降もベネズエラでは、一九五八年まで（一九四五〜四八年の三年間を除き）軍事独裁政権による支配が続いたが、歴代政権は潤沢な石油収入を積極的に社会インフラ整備に投資し国の近代化を推し進めた。さらに国内の労働力不足を認識した各政権が、ゴメスの「鎖国政策」を転換して移民に門戸を開いたことから、ヨーロッパから大量の移民が流入し国内の労働力需要を満たしていくことになる。

ただし、移民は農業労働者として人口過少地域に配耕されることが期待されたものの、都市部における雇用機会が増したことにより、移民の多くは都市部へと向かった。一九五〇年には、とくに発展のめざましいカラカス首都圏とその近郊に、全外国人の約六割が集住するようになった。さらに移民の数は一九五〇年から六〇年までのわずか一〇年で、一二万人から三六万人へと三倍に急増した。出身国別では、一九六一年のセンサスによれば、スペイン人が一六・六万人、イタリア人が一二万人、そしてポルトガル人が四万人と、彼らだけで全移民の六二％を占めるほどの勢いであった〔野口 2003〕。

当然、ベネズエラ社会から彼らに対する風当たりも強かった。当時の新聞には、外国人に嫌悪感をあらわにする論調の記事が目立ったという〔Pellegrino 1989〕。しかし、彼ら移民労働者は建設や製造、サービス業に従事しつつベネズエラの近代化を支えただけでなく、ヨーロッパからもたらされた彼らのライフスタイルはベネズエラ社会にも豊かな彩りを与えた。たとえばベネズエラの庶民的なカフェやベーカリーでは、コーヒーはイタリアンスタイルのエスプレッソマシンで抽出され、好みにより温めたミルクを注ぎカフェラテとして提供されるのが一般的だ。また朝食には「カチート・デ・ハモン」と呼ばれるポルトガル発祥のハム入りパンもよく食されるが、こうした多様な食文化が普及し定着したのも一九五〇～六〇年代に入国したヨーロッパ移民の影響によるものであった。

一九六〇年代に入ると石油ブームが収束し生産設備の需要が落ち着いたことから、ヨーロッパからの新規の移民流入が急速に縮小した。逆に、戦禍からの復興と経済成長の著しい母国へと帰還する移民数も増加していった。そして彼らに替わり、一九七〇年代に第二の移民の波を形成したのがラテンアメリカ域内、とくに近隣のアンデス諸国から流入した労働者たちであった。

一九七〇年代、二度にわたる石油危機とその後の原油価格の高騰によって、ベネズエラは未曾有の経済成長を享受することになる。七六年に石油産業の国有化を実現したカルロス・アンドレス・ペレス（Carlos Andrés Pérez Rodríguez）政権（一九七四〜七八年）は、この潤沢な石油収入をもって積極的に開発政策を推し進めた。石油化学や電力など一連の大型プロジェクトのために約九〇万人の雇用拡大が見込まれ、とくに供給不足が顕在化した専門技術者や熟練労働者をひろくラテンアメリカ諸国からの移民に求めた。

折しも南米各地では、ボリビア（六四年）やペルー（六八年）、チリ（七三年）、そしてアルゼンチン（七六年）と相次いで軍事政権が誕生し、その後約二〇年にわたる「軍政の時代」が幕を開けようとしていた。これらの国々では、政治経済的な混乱と軍政による弾圧政策といった社会不安が、中上流階層を国外へ押しやるプッシュ要因になった。そのためチリやアルゼンチンなど南米南部からベネズエラへ入国した移住者のうち、約四六％がなんらかの専門技術を身につけたホワイトカラー層であった。

しかし、こうした官民による移民選抜政策がある程度の効果を発揮したものの、数のうえでは圧倒的にコロンビアからの農業・非熟練労働者の流入が顕著となっていく。コロンビア国内では、一九四〇年代後半から六〇年代まで断続的に発生した国内武力闘争（ビオレンシア）や、その後農村部を拠点に武装化した左翼ゲリラの存在、さらに都市部における失業率の上昇などが国民の困窮化にいっそう拍車をかけ、国外移住への強い圧力要因となっていたのである。

一九七一年のセンサスでコロンビア人は、スペイン系移民（一五万人）を抜き一八万人に達した。その後も着実に増加を続け、一九八一年にその数は五〇万人を記録し、全外国人一〇七万人の四七％を占めるに至った。さらに、センサスには表れない不法就労者も膨大な数に上り、彼らの家族を含めると不法滞在者の累計を二〇〇～四〇〇万人とする推計もあった。ちなみに、当時ベネズエラの人口は一四〇〇万人にすぎなかった。

一九七〇年代に進められた性急な工業化政策は、一九八〇年代に入ると原油価格の下落と債務危機により頓挫し、他のラテンアメリカ諸国と同様に、ベネズエラ経済は長期間の低迷を余儀なくされる。その結果、外国人労働者の入国超過の動きは逆転し、とくに一九八〇年から八六年にかけては、年平均で二万三〇〇〇人、合計で一六万人以上の外国人が国を離れた。コロンビア人も母国へ帰還する動きが見られたが、一方で多くの移民はベネズエラ国内での在留を選択した。その背景として、コロンビア移民の六割を占めた女性が若年層で出生率も高かったことから、コロンビア人コミュニティがすでに拡大していたことを指摘できる。家族の存在が移動の制約要因になり、母国への帰還を断念したのである。インフォーマルセクターを中心に、「顔の見えない定住化」が着実にすすんでいたことがわかる。

一九九〇年のセンサスでは、八〇年代の厳しい経済危機にもかかわらず、ベネズエラ国内のコロンビア人は八一年の五〇万八一六六人から二万人以上増え、五二万九九二四人にまで達した。全外国人に占めるコロンビア人の比率は四七・三％から五一・七％へとさらに上昇した［野口 2003］。

こうした当時の状況を象徴するのが、一九九一年に社会学者エンリケ・ゴンサレス（Enrique Alí González Ordosgoitti）が発表した、「ベネズエラでは、我々はだれもがマイノリティだ（En Venezuela todos somos minorías）」と題した論文である。彼によれば、ベネズエラでは先住民やヨーロッパ系、アフリカ系の民族集団による混血と文化的混淆を経て、「混血のクリオーリョ（criollo）」というアイデンティティが形成され共有されてきたという。しかし新移民の急増と新たに形成されたコミュニティ拡大によって、こうした通説は説得力を失うこととなった。「バイナショナル─バイカルチュラル」なコミュニティが国民の半数を占めるに至ったいま、ベネズエラはアメリカ合衆国的な多民族国家に変容しつつあると論じたのである［González 1991, 石橋 2006］。

2. チャベス政権と人の移動

（1）チャベス政権誕生の背景

一九八九年に再選されたペレス大統領は、ベネズエラでは初めてＩＭＦ（国際通貨基金）と合意書を交わし、ＩＭＦが課すコンディショナリティを受け入れながら、新自由主義的な抜本的改革を本格化させた。だが、民営化や各種補助金の撤廃、および公共料金値上げなどの政策は国民の負担増大につながり、貧困層を中心とする国民から強い反発を招くこととなった。八九年には数百人の犠牲者をだす「カラカス暴動」にまで発展し、その後も暴動や抗議運動が頻発した。軍内部でも民意を反映しない二大政党制に対する不満が高まり、一九九二年二月に軍事クーデター未遂事件が起こった。

国民は軍が介入したことに反発はしたものの、その主張に共感を覚えた。とくに反乱軍を指揮したウゴ・チャベス陸軍中佐（当時）は、クーデター失敗直後に「すべての責任は私にある」と語り、国民的英雄となった。

二度にわたるクーデター未遂事件は収束したものの国内の混乱は続いた。経済はマイナス成長を続け、失業率が上昇し貧困層を拡大させた。一九七八年に二三％であった貧困層は一九九九年には五五％にまで達し、国民の生活は困窮を極めた。そうした国内の混乱と市民の不満をうけて、一九九二年のクーデターを首謀したチャベスが、一九九八年の大統領選に立候補する。彼は一貫して、貧困の撲滅と汚職の追放、そして新自由主義改革への批判を訴え、歴代二位の得票率（五六・二一％）を獲得して当選を果たした。

チャベス政権が誕生した背景には、先述のような政治経済の混乱と国民のあいだに鬱積した怒りや不満があった。だが一方で、長年にわたり社会経済全般が「石油」という資源のみに依存し、各種補助金や価格統制などの恩恵に浴することを当然視する、新移民ならびにベネズエラ国民のメンタリティ「不労所得依存文化」［石橋 2006］も大きく影響したといえる。彼らの目には、「我々国民の富である石油が、政治家や富裕層によって私物化され、私腹を肥やすことにのみ利用されてきた」と映った。また、一九九一～九二年に新移民二世を対象に行われた意識調査では、彼らにはベネズエラ国民としての「ナショナル・アイデンティティや祖国愛」が欠如しているとの指摘がなされたが、こうした社会や国家への帰属意識の希薄さが、国民の理解と連帯を必要とする一連の緊縮財政・構造調整の実施を妨げる足かせとなった。こうして、政治経済構造の抜本的な変革と国民の救済（石油レントの再分配）を一身に担う、救世主の出現を期待する気運が醸成されていったのである。

（2）チャベス政権期の人口移動

ここで、二〇〇〇年代に入ってからのベネズエラをめぐる人の移動について、次のように三つの時期に区分して整理してみよう［Osorio y Phélan 2019］。すなわち、第一期はチャベス政権のイデオロギーや施策をめぐって社会の対立が尖鋭化した一九九九年から二〇〇三年までの期間、第二期は原油価格の高騰を背景に社会主義政策が推し進められた二〇〇四年から二〇一三年までの期間、そして第三期はチャベス死去後にニコラス・マドゥロ大統領が選出されて以降、社会経済がさらに混乱し人道危機が深刻化した二〇一四年から現在までである。以下では第一期および第二期における国内情勢と人の動きを確認する。

・第一期（一九九九～二〇〇三年）

チャベスは一九九九年に大統領就任後、低所得者層を民衆（pueblo）や主権者（soberano）と位置づけ、彼らへの支援策を次々に打ち出した。その一方で、中上流階層を愚かなオリガルキー（寡頭支配層）と糾弾し、大企業や大土地所有者の主張や権利を無視する政策を推し進めた。こうしたチャベス大統領の言動は中・高所得者層からの強い反発と恐怖心を生み、社会階層間の分裂・対立を増長させた。

二〇〇一年末以降、野党や財界、労組などにより大規模な反政府運動が展開され抗議運動が頻発する。翌〇二年四月にはクーデター事件、そして同年末から翌〇三年二月にかけては石油産業を中心とするゼネストが敢行されるなど国内は混乱を極め、人々の生活にも深刻な影響を及ぼした。

こうしたチャベスの強権的な政治手法や政治経済の混乱、社会秩序の悪化はとくに、一九七〇年代の石油ブームに沸き豊かな時代を享受した中上流階層にとって、たいへんな脅威であり、将来の展望を暗くさせるものとなった。そのため、経済成長期に入国しオイルマネーによって富を築いた商業移民の多くは、母国への帰還という道を選択した。そして医師や弁護士、技師、経営者などの知的労働者、さらには高等教育を受けた若者が、自己実現をめざし米国やヨーロッパ諸国へと向かうことになったのである。米国内のベネズエラ移民は一九九〇年の四・二万人から二〇〇〇年には一〇・七万人へ、さらに二〇〇五年には一五・八万人へと増加を続けた［Freitez 2011］。

また、この時期の象徴的な出来事として、ベネズエラ国営石油会社（PDVSA）に勤めていた大量の従業員、とくに技術者や中間管理職が米国やカナダへと流出した動きがある。彼らは二〇〇二〜〇三年に起きたチャベス大統領（当時）の退任を要求するストライキに参加し、同大統領の辞職を支持したという理由で解雇されたのである。その数は一万九〇〇〇人に上ったとされる。こうした人的資源の喪失は後年、設備投資の不足とともに、石油生産をさらに停滞させる大きな要因となっていった。

・第二期（二〇〇四〜一三年）

二〇〇四年八月に行われた大統領不信任投票や二〇〇六年一二月の大統領選挙でも勝利を収めた

チャベスは、「二一世紀の社会主義」を標榜し、原油価格の高騰を背景に急進的な社会主義政策を一気に推し進めていった。大統領の権限を強化し、議会や司法をはじめ中央銀行やPDVSAなど主要な国家権力や機関を自身の支配下に収めた。さらに電力や通信など主要産業のほか、民間企業や都市部不動産、農地を次々と国有化・接収した。二〇〇七〜一一年までにその対象となった企業数は一〇〇〇社以上に達した〔坂口 2016〕。また、反チャベス派とされるマスメディアは抑圧の対象となり、市民社会に対しても政治的圧力が強化されるようになった。

一方で、国民の大半を占めた貧困層に対しては、医療や教育、住居、食料に至るさまざまな社会開発プログラム（ミッション）を実施し手厚い支援を提供した。これによりチャベス政権下では貧困世帯の割合が大きく低下し、所得格差の改善もみられた。

だが、こうした一連の急進的施策を巡って国内は分断され、チャベス派と反チャベス派との対立は激化していくことになる。石油価格の上昇によって二〇〇四〜〇七年には九〜一〇％前後という高い経済成長率を維持したにもかかわらず、国内の治安は悪化を続けた。二〇一二年にはベネズエラの一〇万人あたりの殺人犠牲者数は五三・七人となり、世界ではホンジュラスに次ぎ二位を記録するに至った〔坂口 2017〕。

この時期における人の移動の特徴としては、先述した理由により中上流階層からの出移民の動きが続いた一方で、コロンビアから流入する移民労働者がとくに一九九九年以降再び増加したことが挙げられる。その背景には、コロンビア経済の悪化と内戦の激化というプッシュ要因があったこと、ベネズエラ国内では二〇〇二年以降、チャベス政権によるさまざまな社会開発ミッションが展開され、低所得者居住地のコロンビア人コミュニティも直接その恩恵を受けられたこと、そして一九九〇年代までにベネズエラへ入国していた家族や友人との社会的ネットワークが社会資本（ソーシャル・キャピタル）として機能しコロンビアからの移動を容易にしたことが考えられる。

とくに移民流入の大きな誘因となったのが、二〇〇四年より実施された社会開発プログラムの一つ、ミッション・アイデンティティ（Misión Identidad）であった。当時、身分証明書を所有していない国民は約七割に上り、彼らの多くは旧体制下で排除され周縁化されてきた貧困層や先住民、移民労働者であった。同プログラムが大規模に展開されたことにより、二〇〇六年までのわずか二年間で一八〇〇万人が証明書を取得できたという［ベネズエラ司法省ウェブページ］。

この施策については、二〇〇六年の大統領選挙で再選をめざすチャベス大統領が、自身の政治基盤としてインフォーマルセクターを取り込むために利用したという政治的意図もあったとされる。しかしこのミッションの過程で、とくに不法入国・滞在者のコロンビア人とその家族がベネズエラ国籍を取得できただけでなく、それにより他の社会ミッションへのアクセスが容易となり、医療や教育、住居に至る福祉サービスを受けることが可能となった。この恩恵に浴した彼ら先発移民に誘引されるかたちで、コロンビアから第三の波と呼べる移民流入の動きが起きたのである。

3. 移民受入国から送出国へ

（1）急増する出移民の動き

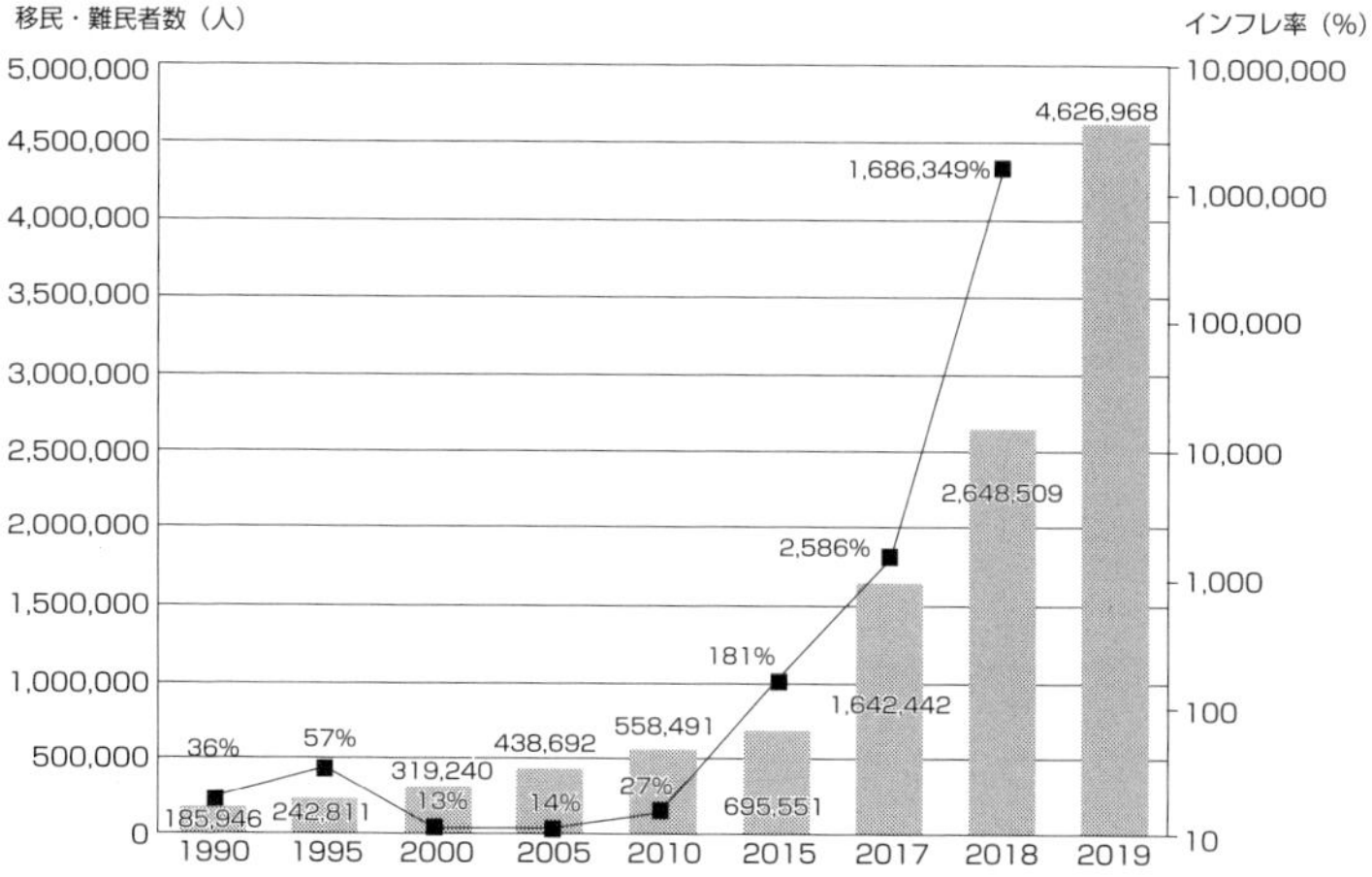

図1　ベネズエラ出移民・難民者数（ストック）とインフレ率の推移
出所：Observatorio Venezolano de Migración (2019) より。

本節では、さきに整理した時代区分の第三期、つまり二〇一四年から現在に至るまでの人の動きを概観する。

二〇一三年三月のチャベス死去後、彼の後継者としてマドゥロ大統領が前政権の路線を踏襲した。しかし、二〇一四年半ばから政権の屋台骨であった原油価格が下落したことにより、急進的な社会主義政策は行き詰まり、経済は急速に悪化した。経済成長率は二〇一四年以降マイナスに転じ、二〇一八年にはマイナス三五%を記録、同年のインフレ率は約二〇〇〇万%（それぞれＩＭＦの推計値）という数値にまで達した。政府の経済活動への介入によって国内産業はすでに衰退し、多くの食料や基礎生活財は輸入に頼っていたことから、外貨不足によりその輸入さえ困難となった。国民は反政府運動を活発化させ、二〇一九年一月には野党のファン・グアイドー（Juan Gerardo Guaidó Márquez）国会議長が暫定大統領への就任を宣言した。グアイドー支持を表明し

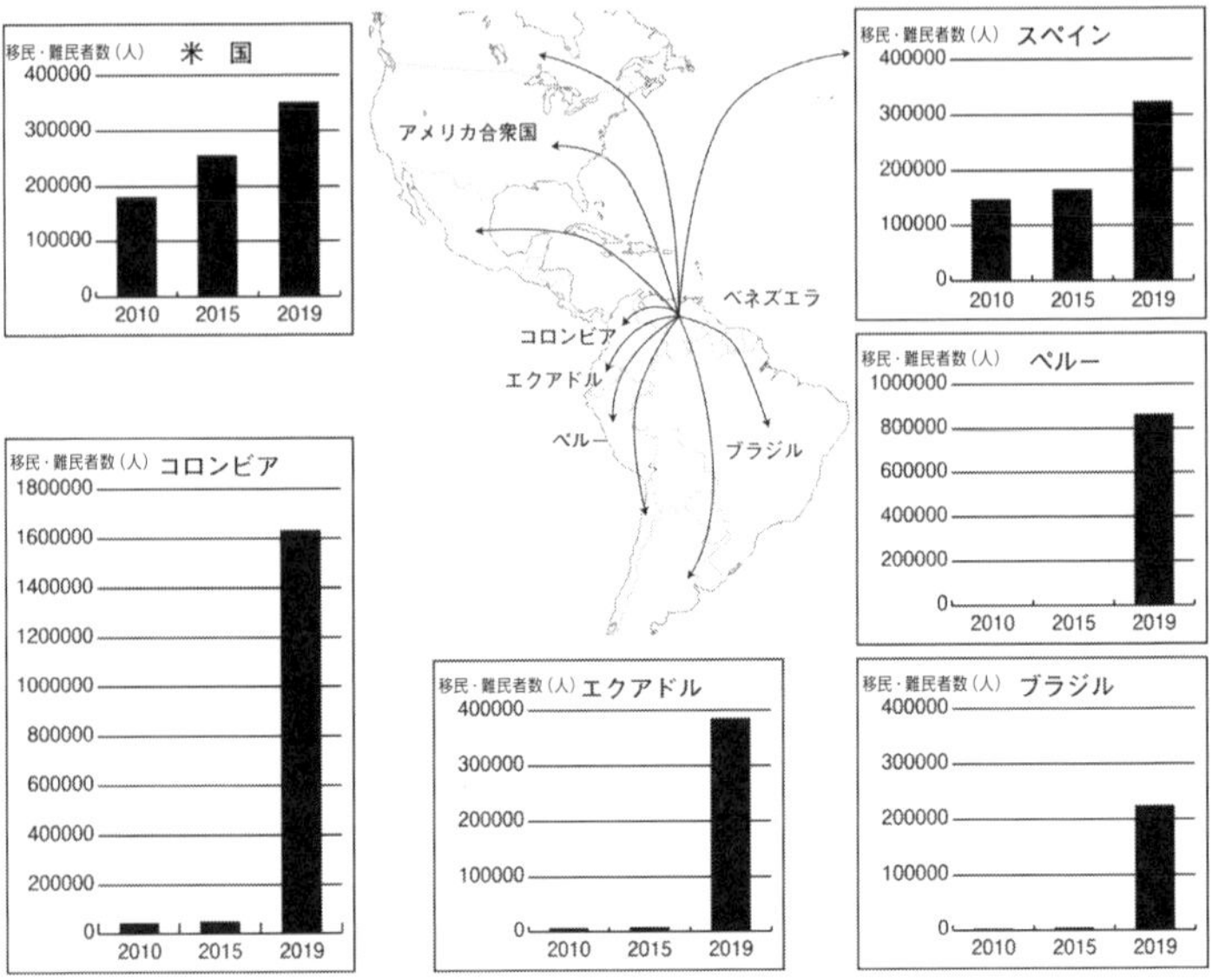

図2　ベネズエラ出移民の主要受け入れ国

出所：IOM (2019) および各種資料より筆者作成。

た米国や西側諸国と、マドゥロ政権を擁護する中国、ロシア、キューバなどの国際社会を巻き込み、政情はさらに混迷を深めた。

　こうした深刻な食料・医薬品不足やハイパーインフレ、政治的混乱により多くの国民が生命の危機に晒されることになった。そのため、生きる術を求めてベネズエラから脱出しようとする動きが活発化したのである（**図1**参照）。複雑かつダイナミックな人の移動を正確に把握する難しさと統計データの限界に留意しつつも、各国政府が依拠する国連機関の試算から概要を把握してみよう。

　二〇一五年末までに出国したベネズエラ人はすでに六九・五万人に上っていたが、二〇一六年一月からその出国ペースが加速することになる。二〇一八年七月では

表1　ベネズエラ出移民の推移と受け入れ国

	2000年	2005年	2010年	2015年	2019年	2015-19 増加率
全世界	320,040	437,280	556,641	695,551	4,769,498	586%
コロンビア	37,200	37,137	43,511	48,714	1,630,903	3248%
ペルー	2,362	2,763	2,995	2,351	863,613	36634%
エクアドル	3,691	4,357	6,120	8,901	385,042	4226%
チリ	4,044	3,279	2,514	8,001	371,163	4539%
米国	109,748	142,706	180,905	255,520	351,144	37%
スペイン	61,587	108,707	148,147	165,895	323,575	95%
ブラジル	2,167	2,524	2,844	3,425	224,102	6443%
アルゼンチン	2,600	1,918	1,236	12,856	145,000	1028%

出所：*Tendencias Migratorias en las Américas*, Oficina Regional de la OIM para América del Sur, 2019.Osorio, Emilio; Phélan, Mauricio, p.265. より筆者作成。

三倍増の二三二万人、そして二〇一九年末ではさらに倍増し約四八〇万人が出国したとされている［IOM, UNHCR 2020］。その数はベネズエラ人口の一割強に匹敵する。

先述のとおり、これまでは中上流階層から北米や欧州への出移民の動きが顕著であった。近年も米国・カナダへは二〇一五年の二七・三万人から二〇一九年の三七・二万人へ、スペインへは二〇一五年の一六・六万人から二〇一九年の三二・四万人へと漸増傾向が続いている。とくにスペインへ出国したベネズエラ人の約半数（四九・二％）はスペイン国籍を所持していたことから、家族や親族を頼っての出国、あるいは帰国であったことが推測できる［IOM 2019］。

一方で、近年急激に増加したのが、困窮化した低所得者層からの南米近隣諸国へと脱出する動きである。彼らは家族や友人、知人という社会的ネットワークとSNSを介して得た情報を駆使して移住先を選定し、陸路隣国のコロンビアやブラジルへ脱出すると、さらにエクアドルやペルー、チリ、アルゼンチンへと移動を続けた。

二〇一九年一二月の段階で、ベネズエラ人の主な受け入れ国とその規模、そして二〇一五年からの増加率は**表1**および**図2**のとおりである［IOM 2019］。コロンビアに一六三万人、ペルーに八六・三万、エクアドルに三八・五万人、チリに三七・一万人、そしてブラジルに二二・四万人が入国しており、国外に脱出したベネズエラ人の約七七％が南米に滞留するかたちとなっている。

ベネズエラと約二〇〇〇キロの国境で隣接するコロンビアには、最も多い一六三万人のベネズエラ人が入国した。コロンビア政府は帰還した自国民を含めベネズエラからの入国者に対して、国連機関やNGOとともに食料や避難所を提供し彼らの支援に努めた。二〇一七年には国境地域の往来を許可する国境通行証（TMF）や、正規に入国したベネズエラ人には特別滞在許可証（PEP）を発行し就労や就学の機会を提供した。また二〇一九年八月には、コロンビアで生まれたベネズエラ人の子供二万四〇〇〇人を対象に、コロンビア国籍を付与する施策を実施した。一方で、二〇一八年からは国境地域の警備と入国管理体制の強化をはかり、不法入国者への対策にも乗り出していった。しかし二〇一九年の時点で、いまだベネズエラからの不法入国・滞在者は約五〇万人に上ると見積もられている。

コロンビアに次いで二番目に多くのベネズエラ人を受け入れているのがペルーである。当初ペルー政府が人道的措置として身分証のみで入国を認めていたことから、二〇一五年に二三〇〇人にすぎなかった入国者は急激に増加し、二〇一八年には四〇万人に達した。そのためペルーは入国要件を厳格化し、二〇一八年八月にはパスポートの所持を、そして二〇一九年六月には査証取得を入国者に義務付けたが、二〇一九年末までに入国者は累計で八六万人、二〇一五年からの増加率は三万六〇〇〇％

に上った。

これら上記二ヶ国以外にもエクアドルやチリ、そしてブラジルなどの南米諸国では、大量のベネズエラ移民・難民が流入したことによりさまざまな影響が出ている。各国政府は緊急支援等の対応に追われる一方、地域社会では治安や雇用、生活環境が悪化し、現地住民とのさまざまな軋轢が生まれている。[4]

（2）国外へ逃れる人々の姿

大量の国外移民・難民流出を引き起こした要因は、先に挙げたように石油価格の下落と外貨不足、放漫な経済政策の行き詰まり、そしてインフレと物不足という問題が一気に噴出したことにあった。マドゥロ大統領は二〇一六年一月に経済緊急事態を宣言し経済再建に取り組んだものの、長期化する生活必需品の不足に国民は疲弊していった。とくに食料・医薬品の不足は貧困層の生活を直撃した。政府はたびたび最低賃金の引き上げを実施したが、現地通貨ボリーバルのデノミ（通貨切り下げ）やハイパーインフレによって、二〇一九年その実勢レートは一ヶ月一〇米ドルほどとなっていた。国内全土で抗議運動が頻発化し、治安の悪化がさらに進んだ［Acosta 2019; Osorio y Phélan 2019］。

では、どのような人々がベネズエラ国外へ逃れているのだろうか。ベネズエラ政府による対応と情

4　ベネズエラ出移民問題に対して国際的な人道支援の動きも活発化した。二〇一八年九月にはラテンアメリカ一一ヶ国による対策会議が行われ「キト宣言」が、同年一一月には一二ヶ国による「リマ宣言」がそれぞれ発表され、各国が協調して対策を講じることで合意した。また、一二月にはUNHCRやIOMによる主導のもと、一六ヶ国が参加して「ベネズエラ難民・移民人道支援計画」が策定され、日本政府も同計画に基づき無償資金協力を実施した。

報公開が不十分であることから、これまでの各種調査や先行研究をもとに彼らの姿を素描してみたい。

コロンビアへ陸路出国したベネズエラ人を対象に二〇一八年と二〇一九年に行われた調査によれば[Mazuera Arias 2019]、移民の七五%が一八〜三九歳までの若年層であり、男性（五三・八%）が女性（四六・二%）を若干上回っている。出身地としてはカラカス首都圏がもっとも多い（二一・五%）が、ほぼベネズエラ全域から国境をめざす動きが見られる。出国者のなかで大学や専門学校などの高等教育を修了した者の比率は二〇一八年で五九・二%、二〇一九年では四八・五%となっている。高度な専門知識をもちながら就労機会に恵まれない人材が、欧米先進国だけでなく南米各地へも流出（頭脳流出）していることがわかる。

また二〇一八年の調査では、彼らが向かう最終目的地としてコロンビア（三七・五%）が一番多かったものの、二〇一九年になるとコロンビア（一七・九%）よりもペルー（三七・八%）やエクアドル（二五・八%）をめざす移民が上回ることになった。先述したような各国の移民政策にベネズエラ人が敏感に反応した結果であろう。さらに、現地に家族（七五・九%）や友人（二一・五%）が滞在していると答える出国者も多いことから、目的地を選択する上で彼らとの紐帯《ちゅうたい》が大きな要因になったといえる。すでにベネズエラを出国する前から、海外に住む家族からの送金による経済支援を受けていた者も多い。一九七〇年代以降、ベネズエラを巡る人の移動が活発化し、とくに二〇一〇年代初頭からは出移民の動きが加速したことにより、すでにアンデス域内を中心にトランスナショナルな空間が生まれていたことを示している。

そして国外脱出を決断した理由（複数回答）としては、「国内情勢への失望やストレス」が七六・五％、「暴力や治安悪化」が六一・八％、「食料不足」が五八・〇％、そして「健康や医療の問題」が五二・八％と、まさにベネズエラ情勢を象徴するような言葉が続く。国内の治安は二〇〇〇年代初頭まで比較的安定していたが、チャベス政権以降の政治社会的な緊張の高まりから急速に悪化していった。人口一〇万人あたりの殺人事件発生率は二〇一六年に五六・三を記録し、その数値はブラジル（二九・五）やコロンビア（二五・五）の倍に値するほどとなった［UNODC］。犯罪の被害にあう危険は中上流階層よりも低所得者層が圧倒的に多いことから、社会不安と治安の悪化が大きな移民排出要因となったのである。

また、国外へ逃れる人々のなかには家族同伴で移動する者が半数以上（五六・四％）に上る一方で、多くの移民は両親（八三・二％）や兄弟（六六・二％）、子供（四七・一％）を母国へ残して単独で移動してきたという。そのために、九五・八％の人々が「海外送金」を移住の主な目的として答えており、その送金先は両親（六二・三％）や配偶者（一四・〇％）、兄弟（七・〇％）、子供（五・二％）となっている。このことから移住とは彼らにとって、自身の命を守るだけでなく、ハイパーインフレや食糧難に喘ぐ家族を支えるための唯一残された生存戦略であったことが理解できる。先述したように、ベネズエラ国民がどれだけ危機的な状況に陥っているのかを示す証左ともいえよう。[5]

5　ベネズエラ国内のNGOや研究機関は、インタビューや質問紙調査などを広く実施し、より当事者の視点から出移民の動きを把握すべく調査研究を進めている。詳細については別稿に譲ることとしたい。

おわりに

これまで見てきたように、一九七〇年代に石油輸出国として繁栄したベネズエラは、二〇〇〇年代初頭からは、チャベス、マドゥロ両政権が標榜した「二一世紀の社会主義」国家として世界の注目を集めるようになった。だがその一方で、社会経済の混乱から移民流出の動きが加速し「移民受け入れ国」から「移民送出国」へと大きく変容することにもなったのである。国外へ脱出する大量の移民・難民の動きは二〇一六年以降とくに増加し、いまも生きる術を求めて人々は近隣諸国を越境し移動を続けている。

本章ではこうした「人の移動」に着目し、ベネズエラ経済の盛衰を辿りながら「移民送出国」へと変容したその経緯を概観した。そして、国内の政治経済の混乱というプッシュ要因以外に、一九七〇年代よりベネズエラを巡る人の移動が活発化したことによって、アンデス地域にトランスナショナルな空間が築かれていたことが、現在の移民問題の背景にあることを明らかにした。

国外へ逃れる人々はベネズエラ政府にとって、社会的緊張を緩和させる逃がし弁（escape valve）としての機能をはたしている一方、国内の人道危機や移民問題を認めない政府からは不可視化された存在となっている。そんな状況に置かれながらも出移民の多く（八九・五％）は、母国に残した家族の存在を理由にベネズエラへの帰国を望んでいるという［Observatorio 2019］。だが、はたしてその希望はいつ叶うのだろうか。ベネズエラ人が移住先で仕事や住居を得て生活環境を整えれば、やがて母国から家族を呼びよせて滞在を長期化させるであろうし、それは出移民の連鎖をさらに加速させることにつながっていく。

二〇二〇年三月以降は新型コロナウイルスの感染拡大が南米各地にも及び、職や住居を失ったベネズエラ人が母国へ帰還する動きも見られるが、国内は依然として厳しい状況が続く。彼ら出移民とその家族に平穏な日々が戻るのか、あるいはこれからも翻弄され続けることになるのか、ベネズエラ国内の今後の動向にかかっているといえる。

【参考文献】


石橋純（2006）『太鼓歌に耳をかせ』松籟社。

坂口安紀編（2016）『チャベス政権下のベネズエラ』アジア経済研究所。

——（2017）「ベネズエラの治安問題——経済社会的要因から政治的要因への注目」近田亮平編『新興途上国地域の治安問題に関する基礎理論研究会』調査研究報告書　アジア経済研究所。

——（2018）「混乱をきわめるベネズエラ経済—とまらない経済縮小とハイパーインフレ—」『ラテンアメリカ・レポート』35(1)。

野口茂（2000）「戦前期におけるベネズエラ移民政策をめぐって」『アメリカス研究』第5号。

——（2003）「ベネズエラを巡る労働力移動の流れ——70年代におけるコロンビア人労働者を中心に」『アメリカス研究』第8号。

Acosta, Yorelis (2019) "Escapar por la frontera colombo-venezolana", *Nueva Sociedad*, No 284.

Banco Mundial (2018) *Migración desde Venezuela a Colombia, impactos y estrategia de respuesta en el corto y mediano plazo*, Colombia.

Freitez, Anitza (2011) "La emigración desde Venezuela durante la última década", *Temas de Coyuntura*, No.63, UCAB.

González Ordosgoitti, Enrique Alí (1991) "En Venezuela todos somos minorías", *Nueva Sociedad*, No.111.
Instituto Nacional de Estadística (INE) (2014) *XIV Censo Nacional de Población y Vivienda 2011*.
IOM (2019) *Tendencias Migratorias en las Américas, República Bolivariana de Venezuela, Diciembre 2019*.
Mazuera Arias, Rina (2019) *Informe sobre la movilidad humana venezolana II. Realidades y perspectivas de quienes emigran*, Servicio Jesuita a Refugiados, Venezuela.
Montero, Maritza (1993) "Sociabilidad, instrumentalidad y política en la construcción de la identidad venezolana", *Diversidad Cultural y Construcción de Identidades: estudios sobre Venezuela, América Latina y el Caribe*, Fondo Editorial Tropykos.
Observatorio Venezolano de Migración (2019) *Horizontes de la emigración venezolana: Retos para su inserción laboral en América Latina*, UCAB.
Osorio, Emilio; Phélan, Mauricio (2019) "Venezuela: de la bonanza económica a la crisis humanitaria. La opacidad de la migración venezolana 1999-2019", *FERMENTUM*, Vol.29.
Pellegrino, Adela (1989) *Historia de la Inmigración en Venezuela Siglo XIX y XX*, Academia Nacional de Ciencias Económicas.
Phélan, Mauricio; Camacho, Jonathan; Osorio, Emilio; Paredes, Antonio (2013) "Los colombianos que llegaron a Caracas", *Revista Venezolana de Análisis de Coyuntura*.
Téllez, Wilmer; Mesa, Carlos (2017) "Emigración y criminalidad en Venezuela", *Revista Venezolana de Análisis de Coyuntura*.

〈ウェブページ〉
国際移住機関（ＩＯＭ）南アメリカ地域事務所：https://robuenosaires.iom.int/（二〇二〇年一一月九日アクセス）
国連難民高等弁務官事務所（ＵＮＨＣＲ）ベネズエラ関連：https://www.unhcr.org/venezuela-emergency.

html?query=VENEZUELA（二〇二〇年一一月九日アクセス）
国連薬物犯罪事務所（ＵＮＯＤＣ）：https://dataunodc.un.org/crime/intentional-homicide-victims（二〇二〇年一一月九日アクセス）
ベネズエラ・ボリバル共和国司法省外国人・移住・身分証明管理庁（ＳＡＩＭＥ）：http://www.saime.gob.ve/（二〇二〇年一一月九日アクセス）
ベネズエラ国家統計局（ＩＮＥ）：http://www.ine.gob.ve/（二〇二〇年一一月九日アクセス）

第2章　比較のなかのベネズエラ
――ほかのラテンアメリカ諸国との共通性と相違点

村上勇介

1．比較から考えるベネズエラ、ラテンアメリカにおける二つの「決定的契機」

現在のベネズエラについては多くの分析がなされてきているが、比較の観点から捉えられる機会は多くない。そこで本章は、ほかのラテンアメリカ諸国と比較し、共通性と相違点を考える作業を行い、ベネズエラ政治を分析する一助とする。

ラテンアメリカでの比較によりベネズエラを捉える作業は、ラテンアメリカ諸国が独立した一九世紀の初めから行うことが可能である。しかし、本章と本書の関心（分析対象）は「今日のベネズエラ」である。ベネズエラをはじめとするラテンアメリカ諸国が植民地時代を含め、歴史的な「遺産」を受け継いでいるにせよ、それが直接的な形でベネズエラやラテンアメリカの「いま」を決定し、形作っているわけではない。

現在のラテンアメリカ諸国の政治経済社会が構築され始めるのは、一九三〇年前後以降である。この時期で分けるのは、それまでとその後のあり方を特徴づける基本的な原理が異なっているためである。一九二〇年代までは、植民地時代から続く少数の白人エリートが政治経済社会を支配した。独立から半世紀ほどの混乱をへて、世界資本主義経済の発展の下で一九世紀後半に安定していった、大土地所有者や輸出業者など少数の白人エリートによる寡頭支配（oligarquía）がその典型である。そうしたエリート支配の原理は、まさに寡頭支配の下での社会経済の発展によって拡大した格差や貧困に不満を持った中間層や下層が徐々に抬頭したことによって、一九〇〇年前後から挑戦を受けるようになっていた。それが明確となるのは、一九二九年の世界恐慌後である。一九三〇年代以降、ラテンアメリカ各国では、それまでの公的な場からは排除されていた中間層や下層が従来とは異なった政治経済社会を構築する試みを本格化させた。そして、本章で分析するように、それは今日まで続いているのである。

それまでのあり方が大きく変わるきっかけとなり、その後、三〇年以上の長期にわたりその影響が存続することがある。そのようなきっかけを「決定的契機」と呼ぶ［Collier and Collier 1991; Garretón

2003]。各国の情勢により前後するが、現代のラテンアメリカには一九三〇年頃が「決定的契機」となった。以後、文民政権（民政）か軍事政権（軍政）かを問わず、約半世紀にわたり、いわゆる「国民国家」の構築を進めた。その主な特徴は、政治参加の拡大、国家主導による経済発展、「国民文化／意識」の形成であった。

第一の政治参加の拡大は、それまで「財産と教養」を持つ少数の白人エリートに限定されていた政治の場（寡頭支配）が、そこから排除されていた人々に開放されてゆく過程である。非識字者や女性への参政権拡大や、中間層や下層の人々による政治運動の展開などに象徴される。目指されたのは、自由な参加に基づく民主主義的な政治の実現であった。だが、民主主義的な政治の枠組みの定着に繋がった例は少数に限られた。

第二の国家主導による経済発展は、一九世紀後半からの世界的な自由経済のあり方が一九二九年の世界恐慌で途切れたことを受けたものである。国家主導の下で、第一次産品（原材料）を有するラテンアメリカ諸国が、それまで輸入していた製品を自前で生産する輸入代替工業化を進める経済発展（国家主導型発展）を目指した。幾つかの国では中期にわたる経済発展や製造業の相対的な発展がみられたが、それ以外の大半の国の輸出依存構造は大きく変化しなかった。全体としては、植民地以来の大きな格差構造に由来する狭隘な国内市場と、貧弱な国内資本（蓄積）を埋めるための対外債務の拡大により、長期的には限界に達した。

第三の「国民文化／意識」の形成は、一九世紀初頭の少数の白人支配層による「ナショナリズムなき独立」の克服を目指した動きである。独立後も民族的な差別が刷り込まれた植民地の格差構造が維持され、寡頭支配の下で強化された。そのなかでのほとんどの白人支配層は「ヨーロッパ人としての自己認識」を持ち、地元には関心がなかった。そうした状況を克服し、「国民史」の編纂や「国民としての文化と意識」の醸成などが追求された。究極的には、白人の文化と価値観の優位を前提に「均質的な国民」の出現ないし創出が想定されていた。そのため、一九七〇年代以降の多文化、多民族の思想の拡大とともに、批判されることになる。

本章で、「国民国家」に関係する表記に鉤括弧を付けているのは、今日からみると単一的な志向や植民地期から続く格差構造の変革に取り組む姿勢に乏しかったなど、様々な限界を指摘できるためである。だが、一九二〇年代までに支配的だった政治経済社会のあり方からすれば、文字どおり「画期的な」方向性の提示であったことは事実である。

だが、そうした方向性も一九七〇年代には前述した限界が深刻化し破綻した。最も先鋭的に現れたのは経済面で、インフレが超高率化した（ハイパーインフレ）。そこで採用されたのが、構造調整や開放経済などを柱として国家の役割を縮減し市場経済原理を徹底させる新自由主義（ネオリベラリズム）であった（市場中心型発展）。

他方、経済面を主とする破綻は、多くの国において一九六〇年代以降に成立した軍政の退場、民政移管を促した（「民主化」ないし民主主義への移行）。一九五九年のキューバ革命以降、左右の対立が激化し政治が混迷するなかで、軍が政権を握り、「国民国家」形成を進めていた。その挫折の責任をとり、軍は兵舎に戻った。一九八〇年代以降、クーデターなど非立憲的な政権交代は例外となり、全体としては民主主義的な枠組みが維持される傾向が支配的となった。そこでは、文化や民族の多様性の承認や地方分権化の進展なども観察された。

こうして、一九八〇年前後に、ラテンアメリカは第二の「決定的契機」を迎えた［Garretón 2003］。

新自由主義は、超高率インフレを鎮め、社会を安定化させ、経済を回復基調に戻した。だが、格差や失業、インフレ、インフォーマルセクターと呼ばれる不安定な非正規雇用、低賃金、貧困など、ミクロ経済面での状況を改善する効果は不十分であった。当初は多くの人々が安定化した経済社会に安堵し、新自由主義を支持した。だが、安定が常態化し、時間が経つと、人々は前述のミクロ面での課題に関心を移し、一九九〇年代の終わりから、新自由主義への批判が広がった。今世紀に入ると、同路線を支持する右派でも社会経済面での課題を無視できなくなる一方、同路線に批判的な左派が政権を握る国が増加した［遅野井・宇佐見 2008］。

左派政権は、今世紀に入って拡大した世界経済に伴って二〇〇三年から好調となった輸出経済に支えられた。だが、その世界経済が二〇一四年から低成長期に入ったことを背景に、また汚職や一般治安の悪化などもあり、政権を追われるようになった。その代わりに政権に就いた右派が失速して左派が返り咲く例も現れ、状況はより複雑化している。

いずれにしても、一九九〇年代のような新自由主義全盛の時代は過ぎ、その影響が存続する一方でそれに代わる具体的な方向性とあり方の模索が続いているという意味で、現在のラテンアメリカはポスト新自由主義の段階にある［村上 2013: 2015］。

以上のような、二〇世紀ラテンアメリカの二つの「決定的契機」を念頭に置くと、最初の「決定的契機」の前まで、つまり一九二〇年代までのあり方が現代のラテンアメリカとは直接的には関係ないことが理解できる。例えば、寡頭支配の時代に、ほとんどの国で、寡頭支配層に選挙による政権交代の規範が受け入れられ、平穏で安定した政治が続くようになる。その例外は、ペルーとベネズエラで、クーデターが引き続きみられた［Rueschemeyer, et al. 1992: 176-177］。寡頭支配期の事実として興味深いものの、そうしたあり方やその違いが直接的に一九三〇年代以降の展開を決定したのではない。両国の政治展開は対照的で、ベネズエラは大きく変化した。ペルーでは対立的な基調が解消しなかったが、それは、経済社会の新状況に条件づけられてのことであって、それを抜きには分析できない［村上 2009］。

いずれにしても、前述のような観点を踏まえ、以下では一九三〇年代以降について、大きく、ウゴ・チャベス登場までの一九九〇年代末前までとそれ以降に分けて行論する。

2. チャベス政権成立以前のベネズエラ

前述のように、寡頭支配の下でも政治は対立状況が続いた。それは、二〇世紀に入り、軍人ファン・ゴメス（Juan Vicente Gómez Chacón）による一九〇八年のクーデター、そして、その後、三五年までゴメス独裁が続くことを許した。その間、アメリカ合衆国での需要の高まりを受けて、一九一四年に発見された石油の開発が進展し、経済と社会を大きく変えた。中間層と下層を基盤とする政治運動が勢力を増し、寡頭支配層とそれを支えた軍と激しく対立した。ゴメス政権崩壊後もその抗争は続き、一九四五年から五八年まで再び軍人マルコス・ペレス（Marcos Evangelista Pérez

Jiménez）の独裁となるが、ゴメスほどは続かず、新興勢力に呼応した軍の一部によるクーデターで崩壊する。そして、一九五八年に選挙が実施され文民政権が成立する際に、主要政党が民主主義的な政治の枠組みの尊重ならびに権力と利益の分有について合意した。会合の開催場所に因んでプント・フィホ協定（Pacto de Punto Fijo）と呼ばれる。この合意以降、ベネズエラは民主行動党（AD）とキリスト教社会党（COPEI）による二大政党制が定着する。

一九五九年のキューバ革命の影響により左翼武装勢力が活発化したことを受けて軍政が多くの国で誕生した一九六〇年代以降のラテンアメリカにあって、ベネズエラは、チリ、コロンビア、コスタリカ、ウルグアイとともに、自由かつ公正な選挙による政権交替が長期（三〇年以上）にわたって継続して観察された、数少ない、五ヶ国の一つとなった（メキシコは自由な政治参加に制限があった権威主義体制であった）。

二大政党制は、政治の安定に加え、生活水準の向上も実現した。それは、プント・フィホ協定の下での豊富な石油収益の分配システムが機能し、可能となった。そのシステムは、実質的な無税、財・サービスを低価格に抑える価格統制や補助金、ブラジルを上回る公務員雇用など、国民生活の手厚い保護の上に、石油収入と通貨の過大評価により高まった購買力による派手な消費生活を国民に提供した［坂口 1998: 24］。それらは植民地時代以来の格差や貧困を根絶するものではなかったが、社会対立の緩和には寄与した。

図1は、一人当たりの国内総生産、平均寿命、識字率を用いて算出した生活水準指標を、ラテンアメリカのなかで比較的工業化が進んだ先発工業化国とそれ以外の後発工業化国、そして民主主義の

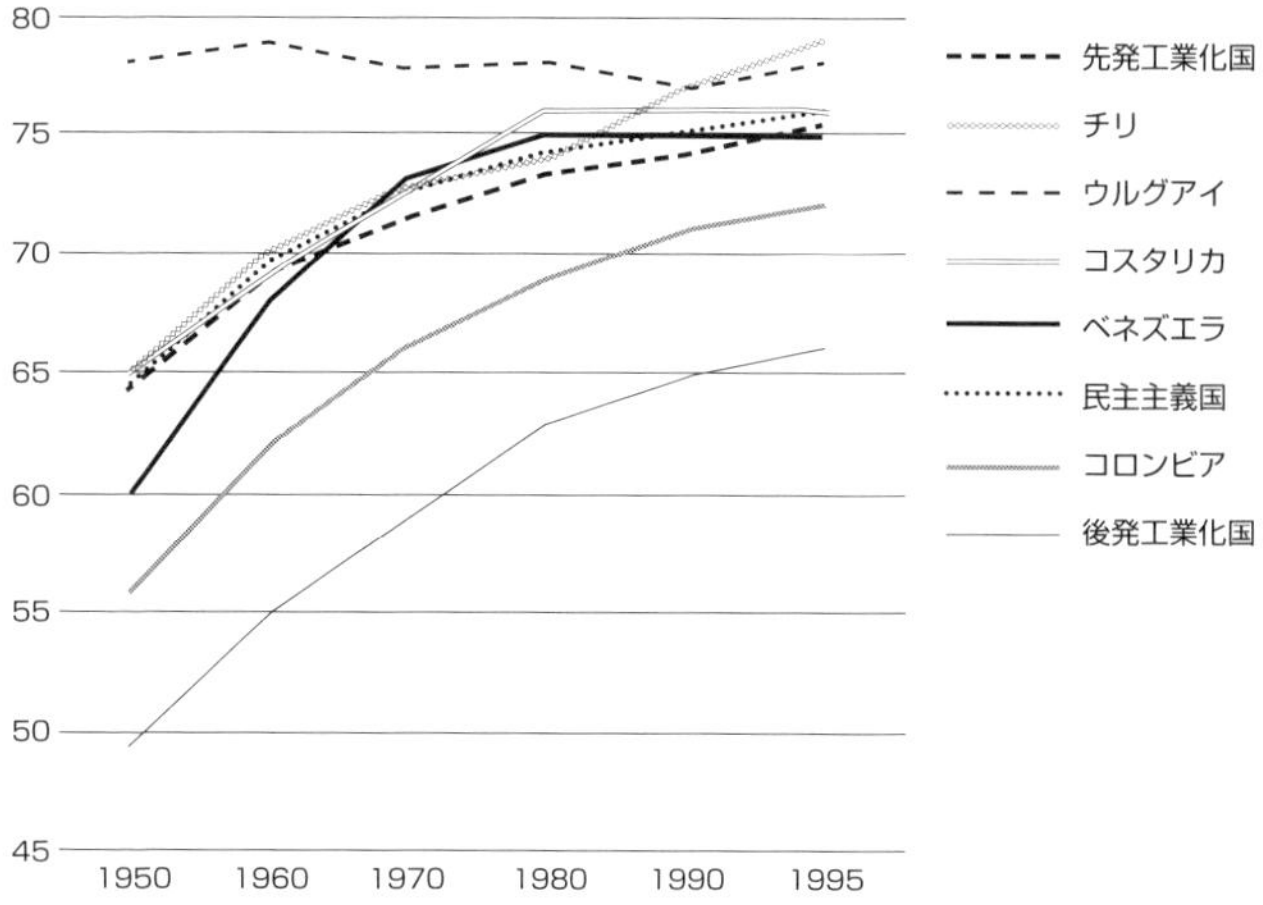

図１　生活水準指標

注：「先発工業化国」＝アルゼンチン、ブラジル、チリ、メキシコ、ウルグアイの５ヶ国の平均／「後発工業化国」＝前出５ヶ国以外の諸国の平均／「民主主義国」＝図に出ている５ヶ国の平均
出所：Thorp [1998: 361] より筆者作成。

枠組みが長期にわたり維持された前出の五ヶ国について、比較している。チリとウルグアイ以外の民主主義国は後発工業化国であるが、それらを含め民主主義国はいずれも先発工業化国と同等のレベルの生活水準を実現しており、ベネズエラはコスタリカと並んで、民主主義国では平均的な生活水準であった。

そうした二大政党制は一九八〇年代に動揺する。それは石油輸出依存の経済構造と二大政党制の閉鎖性を原因とした。前者に関しては、一九八三年の世界的な経済危機以降、原油価格が乱高下し、その影響で経済成長率やインフレ率も大きく上下した（**表1**）。不安定化するなか、経済は停滞し、インフォーマル経済で働き、法的に保護されない労働者が労働活動人口の過半数を超えた。対外債務や財政赤字の増加などもあり、石油依存経済の持続性が危ぶまれる事態となったが、政権を

表1　ベネズエラの主要経済社会指標

	国内総生産成長率（%）	年率インフレ（%）	最低賃金（US ドル）	絶対貧困率（%）	貧困率（%）	失業率（%）
1990	6.5	40.7	120.6	24.0	50	10.4
1991	9.7	34.2	148.2	23.8	49	10.4
1992	6.1	31.4	113.4	19.6	46	8.7
1993	0.3	38.1	141.5	24.0	53	7.1
1994	-2.3	60.8	88.2	39.0	67	8.9
1995	4.0	59.9	51.9	31.9	61	10.3
1996	-0.2	99.9	42.1	42.5	69	11.1
1997	6.4	50.0	150.0	23.4	55.6	12.4
1998	0.3	35.8	177.0	20.3	49.0	11.3
1999	-6.0	23.6	184.9	20.2	42.8	14.5
2000	3.7	16.2	205.7	18.0	41.6	14.0
2001	3.4	12.5	204.9	16.9	39.1	13.4
2002	-8.9	22.4	137.4	25.0	48.6	16.0
2003	-7.8	31.1	154.4	29.8	55.1	18.2
2004	18.3	21.7	167.3	22.6	53.1	15.1
2005	10.3	15.9	150.0	17.8	42.4	12.2
2006	9.9	13.7	150.7	11.1	33.1	10.0
2007	8.8	18.7	107.9	9.6	28.5	8.5
2008	5.3	30.4	140.2	9.2	27.7	7.4
2009	-3.2	27.1	162.1	8.8	26.7	7.9
2010	-1.5	28.2	130.9	8.6	26.9	8.5
2011	4.2	26.1	163.7	7.0	27.4	8.2
2012	5.6	21.1	117.5	9.8	27.2	7.8
2013	1.3	43.5	46.5	11.5	29.4	7.5
2014	-3.9	57.3	28.2	23.6	48.4	6.7
2015	-6.2	111.8	11.6	49.90	73.0	7.4
2016	-17.0	254.4	7.7	51.51	81.8	20.9
2017	-15.7	493.6	4.7	-	-	27.9
2018	-18	929789.5	-	-	-	35.0
2019	-25	10000000.0	-	-	-	44.3

注：2018～19年は、2020年8月1日アクセス時に取得できた最新データで、2017年までは同年10月20日アクセス時に取得できたデータ（ただし、2020年時取得データで2016～17年の国内総生産成長率、インフレ率、失業率は修正している）。

出所：https://www.imf.org/en/Publications/SPROLLs/world-economic-outlook-databases#sort=%40imfdate%20descending より筆者作成。

担った二大政党はその改革を先送りした。

しかし一九八九年、民主行動党のカルロス・アンドレス・ペレス（Carlos Andrés Pérez Rodríguez）政権になると、補助金や価格統制の廃止などの構造調整や民営化などの経済自由化を行わざるを得なくなる。手厚い保護と消費生活の放棄を求められた国民は強く反発し、首都カラカスなどで暴動が起きた。

経済が不安定化し不満が募るなか、二大政党制の閉鎖性も強く批判された。少数の古参指導者が強い影響力を持ち、選挙候補者を含め党関係の人事権を握り、また利益分配システムの元締でもあった。右肩上がりの一九七〇年代まではそうした閉鎖性は問題視されなかったが、経済が停滞した一九八〇年代には、それは民主主義ではなく政党支配政治（partidocracia）であると批判されるようになる。党関係者による相次ぐ汚職事件も、二大政党への不信を深めた。

二大政党の閉鎖性は、非正規雇用の拡大への対応の欠如でもみられた。二大政党の傘下にあった労働組合は、一九八〇年代に増加したインフォーマル経済の労働者を受け入れなかったのである。こうして、二大政党制の利益分配システムに与らない人々が増えていった。

また二大政党は、内部対立や分裂によって勢力を一層弱めた。一九八〇年代半ばから政権を握った民主行動党は、内部対立から、一九九三年に、新自由主義改革を進めようとして批判されたペレス大統領が汚職疑惑で任期終了三ヶ月前に解任される事態を招いた。他方、キリスト教社会党では、党の創設者で大統領経験者のラファエル・カルデラ（Rafael Antonio Caldera Rodríguez）が内部対立から離党し、一九九三年の大統領選挙に無所属候補として立候補し、新自由主義を批判して当選する。

これは、一九五八年以降では初めて、二大政党の候補ではない人物が大統領に当選した例となった。カルデラは当初、旧来の経済路線を復活させた。だが、石油価格の低迷や金融危機の発生、財政赤字の拡大、インフレ傾向に拍車がかかったことなどを受け、一九九六年には新自由主義改革の実施に追い込まれる。国民はカルデラを厳しく非難した。

一九九八年の大統領選挙では、イメージを低下させた二大政党が候補を擁立できず、自党を離党した者を含め独立系候補への支持を表明したが、両党のいずれかの支持を受けた候補は支持を低下させた。このような経緯と背景のなか、一九九二年のクーデター未遂事件の首謀者で、新自由主義に真っ向から反対するチャベス（Hugo Rafael Chávez Frías）が当選した。

政党政治との関連では、ベネズエラはペルーとともに、新自由主義改革が本格化する前に、既存政党が国民の信用と支持を失った例である。この二ヶ国以外では、中道左派を含む主要な既存政党の全体ないし一部が新自由主義改革の担い手となった。そうした政党は、前世紀末以降、新自由主義に批判的となった国民の支持を失った［村上 2013; 2015; 2018］。

こうして誕生した左派政権には、大別すると、新自由主義を徹底的に批判しそれからの脱却を主張する急進派と、新自由主義のマクロ経済政策（均衡財政）は維持しつつも貧困対策などの社会政策の拡充を提案する穏健派の二つがあった。ベネズエラは、ボリビア、エクアドル、ニカラグアとともに前者で、後者には、ブラジル、チリ、ウルグアイ、パラグアイ、エルサルバドルなどがある。アルゼンチンは両者の中間派である［遅野井・宇佐見 2008］。

急進左派と穏健左派を分かったのは、新自由主義への批判が高まり始めた段階で、その批判の受け皿として、議会に一定の勢力を有する中道左派政党が存在したか否かという点である［村上 2013; 2015; 2018］。存在した国では、新自由主義への批判の高まりを受けて中道左派勢力が支持を得て政権に就いた。こうした中道左派勢力は、民政移管の過程で軍政に反対する運動を展開した経験を持ち、移管後に政党としての地歩を固めてきていた。先に言及したブラジルなど南米四ヶ国がその典型で、エルサルバドルは、かつて武装闘争に従事していた左派勢力が政党化し、穏健化した例である。

逆に、存在しなかった国では、新自由主義に対する批判を新興の急進左派勢力が吸収し、その力を急速に伸ばした。ベネズエラとニカラグアでは、既存政党の存在（前者は二大政党、後者は右派政党）が強すぎて中道左派政党が存在する余地がなかった。他方、ボリビアとエクアドルは、中道左派政党が新自由主義改革を推進する側に回ったため、新自由主義の批判の受け皿とはならなかった。アルゼンチンは、ボリビアとエクアドルとほぼ同様だが、新自由主義を推進した既存政党の一部が離脱して批判の受け皿となった点で異なっていた。

他方、石油というドル箱の輸出産品があるため、ベネズエラの社会的・経済的困難は相対的にはそれほど深刻ではなかった。新自由主義導入前に既存政党が信用を失ったもう一つの例であるペルーと比較すると、それは明らかである。例えば、ペルーの年率のインフレは三桁が常態で、最後は四桁を記録し、二桁であっても五〇％を超えていた。他方ベネズエラでは、一九八九年の構造調整政策導入の試みまでは三〇％以下で推移した。石油収入を背景とする物価統制は、深刻化する危機状況を覆い隠す効果を持ったのである。

経済危機の程度の差は国民の危機意識の違いも生んだ。ペルーでは、日々の生活に大きな影響が及

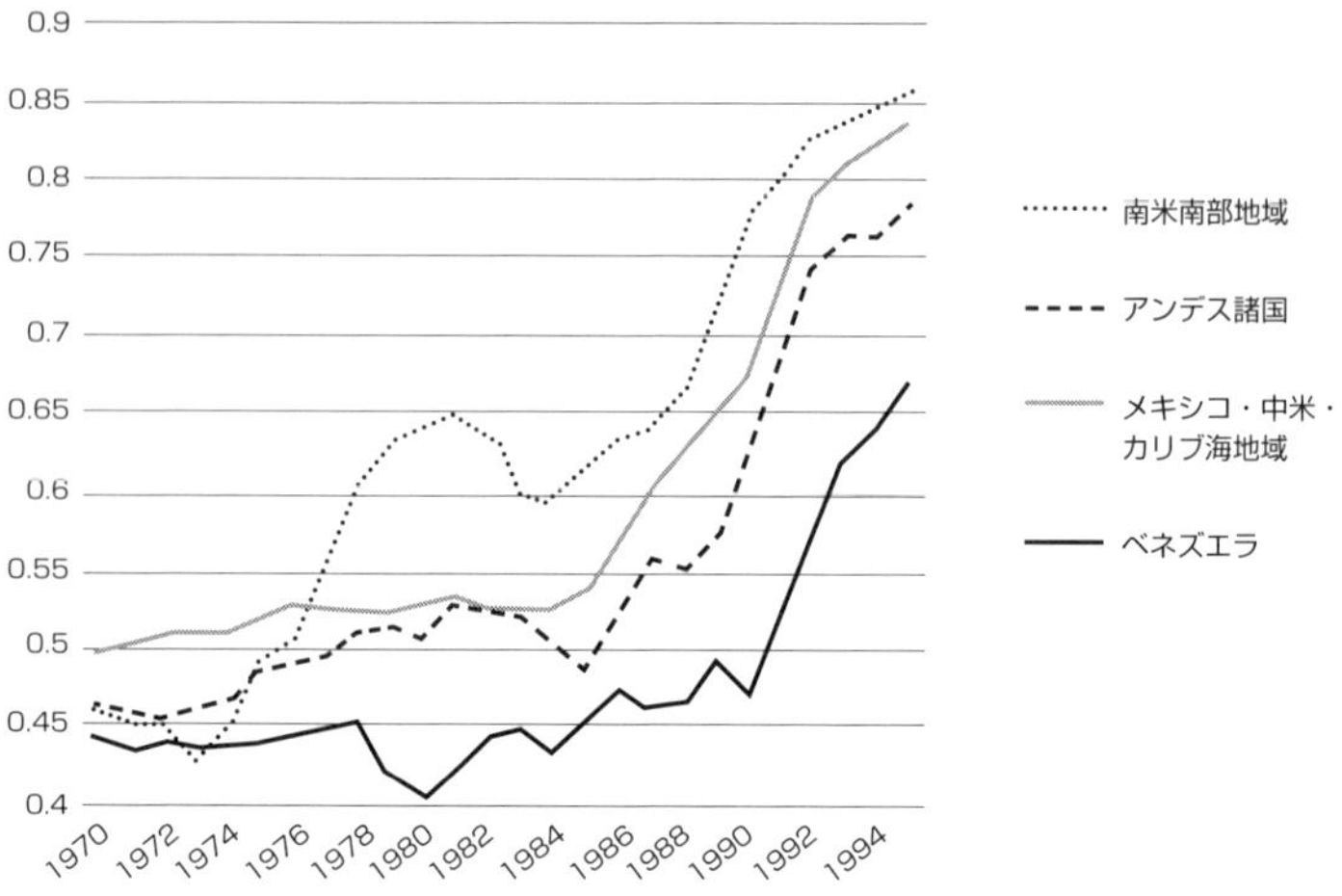

図２　新自由主義改革度

注：1 が改革度の最大値、0 が最低値。南米南部地域＝アルゼンチン、ブラジル、チリ、パラグアイ、ウルグアイの平均／アンデス諸国＝ボリビア、コロンビア、エクアドル、ペルー、ベネズエラの平均／メキシコ・中米・カリブ海地域＝メキシコ、コスタリカ、エルサルバドル、グアテマラ、ホンジュラス、ドミニカ共和国の平均。前記以外のラテンアメリカの国は出所の研究には含まれていない。
出所：Morley, et al. [1999] より筆者作成。

び、反政府武装集団の活動が拡大したことと相まって、大半の国民が絶望に陥った。対してベネズエラでは、生活条件の極度な悪化を感じていた人は限られていた。

危機意識の深さや広がりの違いは、構造調整策に対する両国国民の対照的な反応の主要な原因の一つとなった。同時に、両国国民の構造調整に対する対照的な評価は、インフレの収束度などその結果の違いにより強化された。つまり、ペルーではインフレが収まったのに対し、ベネズエラでは一九八九年に導入が頓挫してからは一九八〇年代より高い水準となった。後者では、国民による最初の否定反応が為政者の新自由主義路線推進への意欲を失わせ、不徹底に終わった分、状況が改善せず、国民の支持をさらに失う結果となった。

こうして、ベネズエラはキューバを除くラテンアメリカ諸国で新自由主義改革があまり進まなかった唯一の例となった（図2）。

3. チャベス政権の成立と国内での覇権確立、長期政権の動揺

大統領当選後、チャベスは権力を自らに集中させ権威主義化した。当初は、大統領選挙に勝利したとはいえ、議会では少数与党となるなど権力基盤は弱かった。そうしたなか、一定の政策を進めようとする政府と、既存の政治世界とは関係がない「アウトサイダー」の大統領に反感ないし嫉みなどを持ち、非協力的な姿勢を示す野党勢力が対立した。大統領は世論に訴えてその意思を押し通し、頂点に達した対立を制して国内での覇権を手に入れた。

チャベスは制憲議会の開設と新憲法の制定を大統領選挙で公約に掲げていた。一九九九年二月の政権発足当初からそれを実行に移し、議会の多数派だった野党勢力と鋭く対立した。国民の支持を背景に、政権発足から一〇ヶ月、年が変わる前に新憲法の公布を果たす。その過程は一方的かつ強引で、幅広い合意に基づいていなかった。新憲法制定過程で実施された幾つかの投票での棄権率は、制憲議会開設の是非に関する国民投票六二・一％、制憲議会選挙五三・七％、新憲法案国民投票五五・六％と過半数を超えていた［Nohlen 2005: 465-467］。新憲法は、有権者のわずか三一・九％の支持のみで承認された計算になる。

表2　民主主義に関する指標

	ポリティ指標					フリーダムハウス指標				
	1970年代	1980年代	1990年代	2000年代	2010年代	1970年代	1980年代	1990年代	2000年代	2010年代
ラテンアメリカ20ヶ国	-2.8	1.8	6.3	6.9	6.7	4.2	3.5	3.2	2.9	3.0
急進左派4ヶ国	-1.8	5.5	8.3	6.8	5.0	3.9	3.0	2.8	3.2	3.9
ベネズエラ	9.0	9.0	8.0	5.0	0.1	1.8	1.6	2.8	3.9	5.3
ラテンアメリカ15ヶ国	-2.9	1.2	6.5	7.9	8.1	4.2	3.5	3.1	2.5	2.5

注：数値は、ベネズエラを除き、各範疇に含まれる諸国の年代毎の平均値。ラテンアメリカ20ケ国＝スペイン語・ポルトガル語・フランス語を標準語とする20ケ国。急進左派4ヶ国＝ボリビア、エクアドル、ニカラグア、ベネズエラ。ラテンアメリカ15ヶ国＝急進左派4ヶ国とキューバを除くラテンアメリカ諸国15ヶ国。
出所：Center [2020]; Freedom House [2020] より筆者作成。

他方、大統領の人気を背景にチャベス派がほぼ独占した制憲議会は、三権を再編できる権限を持つ上位機関となり、人事などで司法権に介入し始める。翌二〇〇〇年実施の新憲法に基づく選挙では、チャベスが再選され、一院制となった議会の多数をチャベス派が占めた。

大統領への権力集中に加え、階層や民族の点での亀裂を強調するチャベスをみて、社会変革を期待し支持してきた中間層の以上の人々がチャベスから離れていった［坂口 2015: 214］。また、反対派の勢力や報道機関への抑圧と弾圧が日常化し、民主主義体制は大きく毀損した。

民主主義の度合いを測る代表的な指標、ポリティ指標（マイナス一〇が最も非民主的、一〇が最も民主的で、一〇から六までが民主主義）とフリーダムハウス指標（一が最も自由、七が最も不自由な体制で、一・〇から二・五までが自由）によれば、一九九八年以降のベネズエラは、民主主義の閾値を外れ、自由な政治空間でもなくなっていることを示している（**表2**）。

反対派も手を拱いてはいなかった。その動きがとくに活発化したのは、二〇〇一年から二〇〇二年に、米国でのテロ事件の影響で原油価格が低迷してベネズエラ経済が揺らいだ時である。一般の人々の間でも一向に改善しない貧困や失業に対する不満が広がってチャベスへの支持が低下した。二〇〇一年末に大統領授権法に基づいて出された反市場経済的な措置に反発した経済界も、反チャベスの動きに積極的に関与した。

二〇〇二年四月、石油公社の幹部人事をめぐる対立に端を発して反政府ストが拡大し、軍を巻き込んだ混乱のなか、反対派が一時政権を握る事態となった。だが、路線対立で反対派の結束が崩れた上に、米国など一部を除きブラジルほか米州機構の多くの国からの承認を得ることができず、チャベス派の攻勢を前に反対派の政権は二日で瓦解した。このクーデターの失敗の後、チャベスは軍内での支配を確立する。

さらに、二〇〇二年一二月から三ヶ月間、石油公社を含む反対派が大統領罷免に関する国民投票の実施を求めてゼネストを決行するも、石油市場の混乱を恐れた国際社会などの働きかけもあり、ゼネストは政権を打倒することもなく収束した。ゼネスト終了後、チャベスは石油公社への支配を確立し、石油収入を投じて社会救済・貧困対策事業を開始する。二〇〇三年からは、世界経済が拡大して石油価格が上昇し国庫収入が潤い始める。この好条件に後押しされて社会救済・貧困対策は加速的に拡大し、チャベスへの期待と支持が回復する。

反対派はゼネスト後、大統領罷免の国民投票の実施に照準を合わせて活動を展開したが、二〇〇四年八月に実施された同国民投票では、チャベスの高い人気を背景に信任が多数を占めた。この信任を機に、チャベスの国内での優位は確定的となった。その勢いに押されて実施された二〇〇六年大統領選挙では六二・八％を得票し、一九九八年の初当選から数えると三回目の連続当選を果たした。こうして、自ら制定した新憲法の下で二期目の任期を務めることになった。

これまで述べたチャベスの国内覇権確立過程は、後に誕生するボリビアとエクアドルの急進左派政権がほぼ同じ形で踏襲し、ベネズエラと同じく、長期政権化することとなる。

二〇〇七年から三期目（新憲法下では二期目）の任期に入ると、チャベスは大統領授権法を改めて手にし、二〇〇五年に初めて口にした「二一世紀の社会主義」の建設を加速化させた。

世界経済の拡大に伴う原材料（ベネズエラは石油）輸出ブームによる好調な経済を背景に、社会救済・貧困対策事業を大幅に実施することで財政支出は拡大を続け、二〇〇六年以降の財政支出は赤字となった。赤字分は対外債務で補填され、二〇一二年には公的債務残高の合計が一二〇〇億ドルを記録し、政権発足当初の水準の四倍となった［坂口 2015: 155-156］。

政府による国有化も本格化し、二〇〇七年以降、電話、電力、製鉄、外資系の石油関連といった分野の私企業が国有化された。また、社会救済・貧困対策は、貧困層の減少と格差の是正をもたらした。五〇％以上になったこともある貧困世帯の割合は二〇〇七年以降に三〇％以下となり、絶対貧困世帯の割合も、最高時の半分以下となる一〇％を切る水準となった。政権発足時に〇・五弱だったジニ係数も、二〇〇八年以降は〇・四前後となった。ただし、その代償はインフレで、チャベス政権下では常に二桁のインフレを記録した［坂口 2015: 130, 136-137］。

こうした社会救済・貧困対策事業をはじめとする諸政策は、権威主義化の度合いをますます強める政治の下で進められた。ポリティ指標は二〇〇〇年代の平均値五から二〇一〇年代にはほぼ〇に低下し、権威主義的な性格が強まった。フリーダムハウス指標も二〇〇〇年代の三・九から二〇一〇年代には五・二へと悪化し、自由な政治空間が一層狭隘となった（**表2**）。

内部対立と誤算による反対派の一時的な反転もあったが、全体としてはチャベスの優位が続いた情勢に変化が訪れるのは、二〇一〇年前後からである。これには主に二つの原因があった。一つには、世界経済の動向に関連して生じた経済社会の不安定化である。チャベスは、石油輸出依存経済の構造を転換しなかった。むしろ、原材料輸出ブームを積極的に活用し自らの政治の梃としてきた。最終的には、それが仇となって跳ね返ったのである。

始まりは二〇〇八年のリーマンショックで、原材料輸出ブームによる経済成長に急ブレーキがかかり、二〇〇九年と二〇一〇年にマイナス成長となる。その後は世界経済の減速に伴う景気後退により、プラスながら低成長ないしマイナス成長を記録するのみとなる（**表1**）。石油輸出が縮小して国庫収入が減少し、チャベス政治の軸である社会救済・貧困対策事業の大盤振舞いができなくなった。この状況で慢性的かつ高率化するインフレが人々の生活に重くのしかかった（**表1**）。物不足の深刻化の一方、犯罪が増加し、社会不安が広まった。

情勢悪化に追い打ちをかけたのが、チャベスの健康問題である。二〇一一年六月に癌であることが公になり、手術を受けた後は、治療を優先させる生活を余儀なくされ、大統領選挙をにらんだ動きが活発化していた二〇一二年二月には再手術を受けた。同情票もあり、二〇一二年一〇月の大統領選挙では五五・一%を得て野党統一候補に一〇ポイント以上の差をつけて、初当選から数えて四回日（新憲法下では三回目）の連続再選を果たした。しかし前回の二〇〇六年選挙の得票率六二・八%に比して明らかなように、支持の水準は確実に低下していた。

四期目の政権が始まっても、チャベスは統治を続けられなかった。二〇一二年一二月、癌の再発が確認され、以後、公に姿をみせることはなく、翌年の三月初め、死去する。

チャベス死去を受けて二〇一三年四月に実施された大統領選挙で、チャベスが後継者に指名していたマドゥロ（Nicolás Maduro Moros）が当選した。得票率は五〇・六％で、四九・一％を得た野党統一候補との差は一・五ポイント、二三万票あまりと僅差であった。

マドゥロはチャベス路線の継承を訴え、実施しているが、ベネズエラ情勢は悪化の一途を辿っている。経済は、景気後退に拍車がかかり、経済成長率は二〇一四年以降マイナス、二〇一六年率インフレも昂進し、二〇一五年からは三桁となっているほか、最低賃金の水準は二〇一三年から一〇〇ドル以下、二〇一六年からは一〇ドルを下回っている。貧困層も増加し、失業も厳しさを増し（**表1**）、物不足や一般犯罪の増加などの社会不安もさらに深刻化している。

政治ではチャベス派と反チャベス派との間の対立の構図が続き、解消に向けた何らかの方向性が見出せる状況にはない。近年の動向については、ほかの章でより詳しく触れられているので言及しないが、二〇一二年の選挙で示されたように、両陣営の勢力はほぼ拮抗しており、それが膠着状態を長引かせ、同時にそれぞれの立場を頑なにする原因ともなっている。何らかの突発的なことが起きる場合を除き、ここ数年のうちに何らかの決着を可能にする国内の情勢や条件はないといわざるを得ない。

4. 比較についての補足

最後に、国内政治過程の分析を軸としてきたこれまでの分析で直接的に取り上げることではなかったが、分析とともに、今後について考える際に重要であることを二点補足する。

一つは、アメリカ合衆国の干渉を問題視する視点である。圧倒的だった前世紀に比して今世紀に入り同国の影響力は低下している。事実、アメリカ合衆国の強い指導力の下で、前世紀終わりに自由民主主義を擁護する機能を積極的に果たした米州機構は、同国の世界レベルでの覇権の低下とともに、地域大国のブラジルなどの台頭の影響で、二〇〇六年のボリビア大統領・国会議員選挙以降、その機能を十分かつ一貫して果たすことができていない。しかも、ドナルド・トランプ（Donald Trump）大統領（二〇一七〜二一年）の下では、一貫した対ラテンアメリカ政策は存在せず、メキシコとの移民問題や通商問題などアメリカ合衆国と直接関係する特定の課題以外に恒常的な関心が向けられることはなかった。ベネズエラとの関係も、気が向いた際に短期間だけ関心を示すだけだった。だが、依然として強い影響力を有し、それが問題を引き起こすことがあることは事実ではある。

しかし、そうした事実があるにせよ、それは、逆の例、キューバをみれば明らかなように、真実の一面でしかない。キューバはアメリカ合衆国の影響から離れ、教育や医療など社会的な公正・正義（平等）を実現した。だが、それは、旧ソ連が、人口の少ない小国を「社会主義のショーウインドー」とすべく、手厚い援助を行った結果である。事実、旧ソ連が崩壊し、その後を継いだベネズエラの支援も細る現在、そうした諸制度の持続性が危機に瀕している。要は、革命以降、旧ソ連に依存（従属）し過ぎるあまり、内発的な発展の方向性とあり方を模索し、構築してこなかった（こられなかった）国家の問題である。中国からの大量の長期借款に依存するエクアドルの似た例も現れているが、社会開発のための持続的な資金を自ら稼ぎ出すために、内発的な発展の課題に主体的に取り組む必要がある。そして、それは、国外への依存（従属）に還元されるものではなく、基本的には各国の責任である。

二つ目は、一点目と関連し、内発的発展のあり方と方向性についてである。新自由主義の隆盛に示されるように、ラテンアメリカでは市場経済的な自由を優先する傾向が強く、それが格差、不平等を放置してきたことは事実である。だが、またキューバの例に戻れば、自由を代償にして平等を実現しても、多くの働き手の年代が自由を求めて海外に移住し、国内には年少者と高齢者が残っている、という同国の現状は、平等の追求だけでは十分ではないことも示している。「自由と平等をバランスさせながらどのように実現するのか」が究極の課題なのである。

ただ、これは、ラテンアメリカ諸国の課題であるとともに、前世紀終わりに新自由主義が世界に拡散し始めて、急速に浸透したラテンアメリカとは異なり、徐々に浸透し、今世紀に入ってその影響が顕在化したヨーロッパ、アメリカ合衆国、日本の先進工業化国でも課題となっている。我々は、各国や各地域の相違を踏まえつつ、共通する課題に協働して取り組むことが求められている。

【参考文献】

坂口安紀（１９９８）「ベネズエラの政治危機——経済自由化政策と政党政治の崩壊」『ラテンアメリカ・レポート』

一五（2）：23～30頁。

坂口安紀（２０１６）「国家介入型経済政策とマクロ経済へのインパクト」坂口安紀編『チャベス政権下のベネズエラ』日本貿易振興機構アジア経済研究所、１２５～１６７頁。

遅野井茂雄・宇佐見耕一（［２００８］「ラテンアメリカの左派政権」遅野井茂雄・宇佐見耕一編『21世紀ラテンアメリカの左派政権――虚像と実像』日本貿易振興機構アジア経済研究所、３～31頁。

村上勇介（２００９）「政党崩壊あるいは『アウトサイダー』の政治学――ペルーのフジモリとベネズエラのチャベスの比較分析」村上勇介・遅野井茂雄編『現代アンデス諸国の政治変動――ガバナビリティの模索』明石書店、１６１～１９６頁。

――――（２０１３）「ネオリベラリズムと政党――ラテンアメリカの政治変動」村上勇介・仙石学編『ネオリベラリズムの実践現場――中東欧・ロシアとラテンアメリカ』京都大学学術出版会、１９９～２３１頁。

――――（２０１５）「ネオリベラリズム後のラテンアメリカ」村上勇介編『21世紀ラテンアメリカの挑戦――ネオリベラリズムによる亀裂を超えて』京都大学学術出版会、１～20頁。

――――（２０１８）「21世紀ラテンアメリカにおける『ポピュリズム』の典型――ベネズエラのチャベス政権とその後」村上勇介編『「ポピュリズム」の政治学――深まる政治社会の亀裂と権威主義化』国際書院、１０３～１３０頁。

Center (Center for Systemic Peace) (2020), "Polity5 Annual Time-Series, 1946-2018." (http://www.systemicpeace.org/inscrdata.html)

Collier, Ruth and David Collier (1991), *Shaping the Political Arena: Critical Junctures, the Labor Movement and Regime Dynamics in Latin America*. Princeton: Princeton University Press.

Freedom House (2020), "Country and Territory Ratings and Statuses, 1973-2020." (https://freedomhouse.org/report/freedom-world)

Garretón, Manuel Antonio (2003), *Incomplete Democracy: Political Democratization in Chile and Latin America*. Chapel

Hill: The Universtiy of North Carolina Press.
International Monetary Fund-IMF (2020). "World Economic Outlook Databases". (https://www.imf.org/en/Publications/SPROLLs/world-economic-outlook-databases#sort=%40imfdate%20descending、最終閲覧日：二〇二〇年八月一日)
Morley, Samuel A., Robert Machado, and Stafano Pettinato (1999), "Indexes of Structural Reforms in Latin America." Santiago: Economic Commission for Latin America and the Caribbean.
Nohlen, Dieter (ed.) (2005), *Elections in the Americas: A Data Handbook Vol. 2 South America*. London: Oxford University Press.
Rueschemeyer, Dietrich, Evelyne Huber Stephens and John D. Stephens (1992), *Capitalist Development and Democracy*. Chicago: University of Chicago Press.
Thorp, Rosemary (1998), *Progress, Poverty and Exclusion: An Economic History of Latin America in the 20th Century*. Washington, D.C.: Inter-American Development Bank.

第3章　比較の視座からのベネズエラの一九九九年憲法改正

岡田　勇

1．はじめに

ベネズエラのウゴ・チャベス（Hugo Chávez）は、政権を握るとすぐに制憲議会を立ち上げ、一九九九年に新しい憲法を制定した。この憲法改正は、それに先立つ一〇年間のベネズエラの混迷の中で生まれた期待に後押しされたものであり、その後一四年間続いたチャベス政権とその後のベネズエラ政治を基礎づける制度ルールとなった。本章は、ベネズエラにおけるこの一九九九年の憲法改正について、なぜ憲法改正に至ったのか、その特徴は何だったのか、それによって何が生み出されたかを議論する。

とはいえ、これらの問いは相当に大きなものであり、本章では最重要な点に絞らざるをえない。すでにベネズエラだけでなくラテンアメリカの憲法改正については重要な研究が多くあるため、それらの文献や既存のデータベースを参照しながら、次の点を主に提示する。まず憲法改正における重要な点として、大統領権限の強化と政治的包摂の二つを取り上げる。ベネズエラの一九九九年憲法はラテンアメリカ内外で大きな関心を集めたが、そこでの議論は二つに割れている。一方では大統領権限の強化が結果としてポピュリスト的リーダーによる強権政治や政治の不安定化につながったという見方があり、他方で既存の代表制民主主義の問題点に対処しようとする改革であったとの見方もある。本章ではこの両者について、憲法改正に関連する部分についてまとめる。ちなみに、これらの視点は一般的な意味を持つため、比較の視座に立って考察していく。

次節では、まずラテンアメリカにおける憲法改正の長期的傾向を概観する。3節では、ベネズエラにおける一九九九年の憲法改正がどのようにして起き、主な変更点は何だったのかを概説する。4節では大統領権限の強化について、5節では政治的包摂についてそれぞれまとめる。6節で結論を述べる。

2. ラテンアメリカにおける憲法改正

ラテンアメリカ諸国は、世界的に見て憲法改正を多く経験してきた［Negretto 2012b: 752-753］。その理由として、独立時期が一九世紀初頭と早く、当時モデルとすることができたのは米国憲法（一七八七年）やフランス第一共和政憲法（一七九一年）、スペイン・カディス憲法（一八一二年）くらいだったこと、そしてスペイン王政から独立する中で新たな国家元首となる大統領の地位について試行錯誤を繰り返したことが挙げられる［Whitehead 2012; Gargarella 2018］。**表1**は、「比較憲法プロジェクト（Comparative Constitutions Project）」という公開されたデータベースを用いて、各国の独立から二〇一三年までの新憲法制定と憲法修正の回数をカウントしたものである。国ごとのばらつきはあるものの、独立から一九〇〇年までの期間の新憲法制定の頻度が多いことがわかる。

表1からは他にも興味深い傾向がわかる。第一に、ラテンアメリカ諸国で寡頭制が次第に衰え、民政と軍政が繰り返され、産業や社会構造も変わっていった一九〇一～一九七七年には新憲法制定が比較的多いが、多くの国で民政移管が実現する一九七八年以降はほとんどの国で新憲法制定は一回になっている。第二に、ブラジルとメキシコという二大国をはじめ、いくつかの国では抜本的な新憲法制定よりも部分的な憲法修正を多く行ってきた。これらの国では、憲法修正を一～二年に一回という高頻度で行っている。

こうした傾向について、ネグレトは一九四六～二〇〇八年のデータをもとに多変量解析を行い、どのような条件下で新憲法の改正が起きやすいか、あるいは起きにくいかを明らかにしている

表1　ラテンアメリカ各国における憲法改正

	独立～1900年		1901～1977年		1978～2013年	
	新憲法制定	憲法修正	新憲法制定	憲法修正	新憲法制定	憲法修正
アルゼンチン	4 (0.05)	5 (0.06)	3 (0.04)	5 (0.06)	1 (0.03)	5 (0.14)
ボリビア	11 (0.15)	4 (0.05)	6 (0.08)	6 (0.08)	1 (0.03)	4 (0.11)
ブラジル	2 (0.03)	0 (0)	5 (0.06)	20 (0.26)	1 (0.03)	29 (0.81)
チリ	6 (0.07)	11 (0.13)	1 (0.01)	14 (0.18)	1 (0.03)	18 (0.5)
コロンビア	8 (0.11)	11 (0.15)	0 (0)	30 (0.39)	1 (0.03)	16 (0.44)
コスタリカ	7 (0.11)	5 (0.08)	3 (0.04)	30 (0.39)	0 (0)	17 (0.47)
ドミニカ共和国	16 (0.28)	0 (0)	13 (0.17)	0 (0)	3 (0.08)	0 (0)
エクアドル	11 (0.15)	6 (0.08)	9 (0.12)	10 (0.13)	7 (0.19)	8 (0.22)
エルサルバドル	9 (0.15)	0 (0)	4 (0.05)	2 (0.03)	1 (0.03)	9 (0.25)
グアテマラ	3 (0.05)	4 (0.07)	5 (0.06)	5 (0.06)	2 (0.06)	3 (0.08)
ホンジュラス	6 (0.1)	2 (0.03)	7 (0.09)	16 (0.21)	1 (0.03)	17 (0.47)
メキシコ	9 (0.11)	18 (0.23)	1 (0.01)	41 (0.53)	0 (0)	32 (0.89)
ニカラグア	4 (0.07)	1 (0.02)	7 (0.09)	6 (0.08)	1 (0.03)	5 (0.14)
パナマ			4 (0.05)	7 (0.09)	0 (0)	5 (0.14)
パラグアイ	3 (0.03)	0 (0)	2 (0.03)	1 (0.01)	1 (0.03)	1 (0.03)
ペルー	10 (0.13)	9 (0.12)	2 (0.03)	17 (0.22)	2 (0.06)	8 (0.22)
ウルグアイ	1 (0.01)	0 (0)	4 (0.05)	7 (0.09)	1 (0.03)	10 (0.28)
ベネズエラ	8 (0.11)	0 (0)	14 (0.18)	4 (0.05)	1 (0.03)	2 (0.06)
平均	6.94 (0.1)	4.47 (0.06)	5 (0.07)	12.28 (0.16)	1.39 (0.04)	10.5 (0.29)

注：括弧内は1年当たりの数。小数点以下第3位を四捨五入。新憲法制定と憲法修正の定義は原典による。パナマのデータは1904年以降のみ。他にも1900年以前について原典に欠損値がある。
出所：Elkins, Ginsburg and Melton (2020) より。

[Negretto 2012a: 2012b]。それによれば、クーデターや民政移管などの政治体制の転換、イレギュラーな政権交代、大統領と議会の間で深刻な対立がある場合に、新憲法制定が起きやすい。またその一方で、複数の政治アクターの間で権力の分有を可能とする制度がある場合には新憲法制定が起きにくい。また、憲法修正の頻度が多かったり、憲法裁判所による解釈権が強い場合、憲法修正手続きが厳格であったり、政党システムが分裂気味で憲法改正が事実上難しい場合には新憲法制定が起こりにくい。

他方でラテンアメリカでは、憲法に記された期待と法実践との間にギャップが存在することも指摘されてきた[Gargarella 2012: Whitehead 2012]。ラテンアメリカの憲法には先駆的な内容が多くあり、早くから宗教と国家の関係や人民主権が規定され、最近では直接民主制や市民参加、罷免投票や、広範な社会的・文化的・環境的権利も明記されている。しかしその実践となると、しばしば権力者の恣意的運用に委ねられ、諸々の権利が保障されるかどうかはそれを求める人々がどの程度政府に圧力をかけられるかによってきた[Whitehead 2012: 138-140]。理想として描かれたものの一部は、実現されない「眠った条項(dormant clause)」となり、社会からの圧力によって眠りから覚めるまで放置されることもしばしばあった[Gargarella 2012: 152-154]。こうした特性は、一九世紀以降に何度も新憲法が作られてきたことと表裏一体の関係にあると言えるだろう。法の履行の不完全さは、憲法がその時々において来たるべき社会の理想を謳うものであったこと、しかし憲法の存立と維持がしばしば不安定な政治システムに依拠せざるをえなかったことと関係している。

3. ベネズエラにおける憲法改正過程

ベネズエラの一九九九年憲法は、エクアドルの二〇〇八年憲法、ボリビアの二〇〇九年憲法とともに、民選の制憲議会を通じて革命的な変革を試みた点で特徴的である。それは、一九九〇年代までのネオリベラリズムからの変化を求める人々の期待と、それまで政治的に排除されてきた人々を包摂するという期待を反映するものであった [Silva 2012; Silva and Rossi 2018]。他方で、これらの憲法が、カリスマ的大統領に率いられたものであったことにも注意が必要である。実際、憲法改正を実現するに至るプロセスにおいて、チャベス大統領は既存政党と激しく対立した。本節では、チャベス政権が一九九九年の憲法改正へと至ったプロセスと、主な改正点を概説する。

ベネズエラは、一九五〇年代に築かれた協調的な民主政治を一九九〇年代まで継続した。一九四〇年代の民主政治の混乱を受けて一九四八年にクーデターが起き、一九五八年まで軍政が続いた。この経験を踏まえて、一九五八年に民主行動党(Acción Democrática, AD)、キリスト教社会党(Comité de Organización Política Electoral Independiente, COPEI)などの主要政党はプント・フィホ協定(Pacto de Punto Fijo)を結び、選挙の結果にかかわらず政権連合を築くことに合意した。その後、潤沢な石油輸出により経済が上向くと、ADとCOPEIの二大政党を中心に安定した民主体制を維持した。

しかし一九八〇~九〇年代にかけて、この協調的な体制は急速に衰退する。石油依存の経済は過度の財政膨張を生み出し、その後多重債務に陥ったが、少数政党が支配する政治システムは自浄作用を持たなかった［Karl 1997］。一九八八年にＡＤのカルロス・アンドレス・ペレス（Carlos Andrés Pérez）政権は、国際通貨基金（ＩＭＦ）の援助を受け入れる代わりに利率や為替の自由化、石油製品や電気、水道、公共交通などの値上げといったネオリベラル改革（新自由主義）を断行したが、一九八九年にカラカソ（Caracazo）と呼ばれる大規模デモを引き起こした。さらに一九九二年にはペレス政権に対する二度のクーデター未遂が発生したが、その首謀者の一人が軍の若手将校だったウゴ・チャベスだった。

チャベスは、若手将校らとボリーバル革命運動二〇〇（Movimiento Bolivariano Revolucionario-200）という政治運動組織を一九八〇年代から作り、早くからシモン・ボリーバルの理念に沿った「ボリーバル革命」を提唱していた［坂口 2008: 37］。一九九二年のクーデター未遂事件の際にはネオリベラリズムを批判し、憲法改正の必要性を訴えていた。チャベスは一九九八年一二月の大統領選挙では第五共和国運動（Movimiento Quinta República, MVR）という政党を設立して左派政党との同盟のもとに立候補した。すでに一九九三年の選挙でＣＯＰＥＩの創立者の一人でもあったラファエル・カルデラ（Rafael Caldera）が離党して独立候補として大統領に当選しており、ＡＤとＣＯＰＥＩによるプント・フィホ体制は崩れ始めていたが、一九九八年選挙では伝統政党に批判的なチャベスが五六％超の得票率を獲得したことで、従来の政党システムの解体が決定的となった。実際、Roberts（2003）やMorgan（2012）が論じるように、二〇世紀後半を通じて築かれた二大政党の協調的統治とオイルマネーを財源としたクライアンテリズム（利益供与と選挙支持を交換する統治者と特定の社会集団との継続的な関係）のネットワークは、一九八〇年代にペレス政権がネオリベラル改革を導入する中で弱体化し、既存政党と社会とのつながりは失われていた。チャベスは社会からの改革の期待とともに政権についたのであった。

チャベス大統領が推進した新憲法制定のプロセスは、激しい政党間対立を伴った。大統領選挙に先立つ一九九八年一一月に行われた国会選挙でMVRなどのチャベス派は過半数を占めることができず、ADやCOPEIが多くの議席を有していたし、直接選挙で選ばれる州や地方自治体の首長職も伝統政党の影響下にあった［McCoy 1999］。チャベスは一九九八年選挙を戦う中で制憲議会の設立と新憲法制定を求めていたが、それを実現するために最も強硬な方法をとった。まず一九九九年四月に国民投票を行い、制憲議会の設立と議員の選出方法についての賛否を問うた。一九六一年憲法は国民投票の採決にもとづく制憲議会を通じた新憲法の起草を想定していなかったが、一九九九年一月に最高裁判所がこれを認めた。制憲議会の設立と議員の選出方法がいずれも八〇％以上の得票で可決されると（投票率は三七％に留まった）、同年七月の選挙でチャベス派は制憲議会の九〇％超の議席を獲得することに成功した。チャベスに支配された制憲議会は、野党が多数派を占める既存の国会の立法機能を奪った。制憲議会は同年一一月までに起草作業を終え、一九九九年一二月の国民投票にて新憲法が可決・承認された（賛成が七二％、投票率は四四％）。その後、二〇〇〇年七月に大統領・国会議員・選挙が行われ、最高裁判所の判事は総入れ替えとなったことで、チャベス政権による三権支配が確定的となった。

新憲法は、いくつかの大きな変化をもたらした。大統領の任期は五年から六年に延び、再選について従来は二期空けることが求められていたが、一九九九年憲法では一回限りの連続再選が可能となった。さらに重要なこととして、一九九九年憲法第二三六条八項は議会の授権にもとづいて大統領に立法権が与えられることを定めた。コペッジは、一九六一年憲法第一九〇条八項が「経済と財政に関することについて（en materia económica o financiera）」と限定的であったことに比べて、より曖昧な表現を用いることで大統領の権限を拡張するものと評価している［Copedge 2002］。一九六一年憲法下で進められた連邦制が維持され、州知事や市長の地位は変わらなかったが、国会はそれまでの二院制から一院制になった。他にも、軍の人事に対する決定権、国会の解散権など（二三六条）について大統領の権限が拡張された［マインゴン 2016: 26］。

他方で、一九九九年憲法は「政党」という文言をあえて用いず、逆に憲法六二条一項において「すべての市民は、直接、あるいは選挙で選ばれた代表者を通じて、自由に公的諸事項に参加する権利を有する」として市民による直接参加を認めた［林 2009; マインゴン 2016: 25-26］。市民が参加しうる制度プロセスは、罷免投票（七二条）、選挙管理委員会（二九六条）や憲法改正の発議（三四一条）などにも広げられた。さらに行政・立法・司法の三権に加えて、第四の「市民権力（poder ciudadano）」として会計検査院（Contralor General de la República）、検察庁（Fiscal General de la República）、オンブズマン（Defesor del Pueblo）が設けられ、選挙管理委員会と合わせて五つの権力が分立することが規定された。また国会における先住民の議席枠も認められた（一二五～一二六条）。

その後も、チャベス政権と野党との対立は続く。新憲法にもとづいて早くも一九九九年と二〇〇〇年に大統領授権法によって立法権が与えられ、炭化水素法や中央銀行法などが新たに制定された。これが大統領への集権化と政治介入を拡大することに反発して、二〇〇二年にはベネズエラ国営石油会社（Petróleos de Venezuela S.A.）のストが起き、これに野党や企業家が加わる中でチャベス政権に対するクーデター未遂事件も起きた。チャベスは死去する二〇一三年まで国政を握り続けたが、州や市長選挙では野党が一定の影響力を保持し続けた。二〇〇七年にチャベスは憲法の六九の条文に修正提案を出して国民投票にかけたが、僅差で否決された。否決の理由としては、この修正提案に、大統領の再選制限の廃止のほか、州知事や市長の自治権への介入や私的所有権の制限などが盛り込まれていたことが挙げられる。二〇〇九年には、このうち大統領の再選制限の廃止と他の公職の再選制限の緩和についてのみ国民投票にかけ、五五％の賛成で承認された。

4．大統領権限の強化

一九九九年憲法の下でチャベス政権は大統領への権力集中を進めた［Coppedge 2002; 2008; 2016; Lalander 2012; マインゴン 2016; Corrales 2018］。大統領への権力集中は、憲法や法律の明文規定だけでなく与野党の勢力バランスやメディアとの関係など、実際の政治プロセスがどう展開するかにもよる。しかし、例えば国際指標の一つであるBertelsmann Transformation Index（2012）によれば、二〇〇〇年代のベネズエラにおける実質的な三権分立や司法府の独立性のレベルはラテンアメリカ諸国の中でも極めて低く、行政府が権力を独占しており司法への政治介入も著しいと評価されている。一九九九年憲法だけでなく、同国の主要産業である石油部門への政治介入とそれによって恣意的分配が可能となった潤沢な財政資源の存在も、実際の政治プロセスにおいて権力集中を起こりやすくした理由の一つだろう。

ところで、大統領への権力集中は、近年の世界的傾向である。行政サービスの専門化や需要拡大に伴って、大統領や執政府への権限強化は世界各国で見られる［Poguntke and Webb 2005］。またラテンアメリカ地域では、国家建設を大統領のリーダーシップに期待する伝統から、大統領令などを通じた立法権限を大統領に認めることが広範に認められてきた［Cheibub, Elkins, and Ginsburg 2012］。大統領の再選禁止規定についても、長らく大統領による個人支配が危惧されてきたラテンアメリカでは厳格であったが、一九九〇年代半ばから多くの国で再選への可能性を開く憲法修正が見られるようになった［Penfold, Corrales, and Hernández 2014］。そうした傾向の中で、チャベス大統領への権力集中はどの程度特異と言えるだろうか。

近年の実証研究は、選挙競争の度合いに応じて憲法が規定する大統領権限の強さが異なると想定している［Negretto 2008; Kouba 2016; McKie 2019］。具体的には、政党システムが分裂的であったり選挙での実質的な競争度が低かったりする場合には、現職大統領にとって再選可能性を求めるインセンティブが増し、実際に再選制限が緩和されやすい。また政党システムが分裂的であると、大統領が分裂的な議会に対する高い調整コストを払わなくて良いように大統領の権限を強めようとする動機も高まる。こうした傾向はベネズエラだけでなく、一九九〇年代のペルーのフジモリ（Fujimori, Alberto）政権、二〇〇〇年代のエクアドルのコレア（Rafael Correa）政権やボリビアのモラレス（Evo Morales）政権でも見られ、いずれも大統領への権力集中や再選可能性の拡大が試みられ、しばしば実現した。

これに対してコラレスは、ベネズエラ、ボリビア、エクアドルの事例を詳細に比較して、その違いについて次のように主張する［Corrales 2018］。まず、現職大統領が有利な政治情勢にあるときに憲法改正は起きやすく、大統領の憲法上の権限も拡大しやすい（一九九九年のベネズエラ）。具体的には、選挙での圧倒的な得票や世論調査での高い支持率があるとき、そして制憲議会で圧倒的な議席数を保持しているとき、そうした時流の（いわば一過性の）優位さを憲法に書き留めたいとの誘惑が政治家に生じるし、その実現可能性も高まるからである。逆に実際のパワーバランスが現職大統領に不利な場合、憲法改正は巷で話題になっても発議されず（一九九〇～一九九七年以前のベネズエラ）、あるいは憲法改正が行われても大統領の権限は拡大されない（一九九〇年代のエクアドル）。他方で、憲法改正を行う交渉の場での与野党間のパワーバランスが伯仲しているような場合、憲法が規定する大統領の権限は拡大されない（一九六一年のベネズエラ、二〇〇六～二〇〇九年のボリビア）。

こうした研究は、ベネズエラの一九九九年の憲法改正を解釈する上で有効であり、域内他国と比べても制度ルールを著しく現職大統領に優位にするものであったことがわかる。また、コラレスは、大統領の権限を強化する憲法改正は、その後の政治が不安定化しやすく、長期的には憲法を再改正しようとする動機が生まれやすいとする［Corrales 2018］。実際、チャベス大統領が死去した後のマドゥロ政権下でも、憲法が政争を調停する制度ルールではなく政争の道具となったことは特筆に値する［坂口 2018］。

5. 政治的包摂の模索と課題

一九九九年憲法についてのもう一つの重要な側面として、ベネズエラの民主主義をどのようにしてより包摂的にするかという問いがある。一九九九年憲法は従来の政党中心の民主主義モデルを問い直す中で生まれ、参加型民主主義を目指すものとされた［ブリセニョ 2016］。3節で見たように、新憲法は市民に国政に参加する多様な制度チャネルを明記し、先住民の政治参加権も認めた。もっとも、先住民自治のような文化的承認が課題となったボリビアやエクアドルと異なり、早くから都市化が進んだベネズエラでは、貧困層や非正規労働者の政治的包摂が主な課題となった［林 2007］。ベネズエラでは、一九七〇年代に近隣住民委員会（Asociación de Vecinos）と呼ばれる都市中産階級による自律的な市民社会組織が存在したが、やがて既存政党に取り込まれていった経緯がある［林 2007: 36］。チャベス政権にとっては、従来のADやCOPEIが中央・地方で作り上げた利益分配と政治支持を交換するクライアンテリズムのネットワークに対抗する形で、いかに市井《しせい》の人々が教育・医療・基礎インフラなどについての公的支出に関する意思決定に参加できるようにするかが目標となった［Lalander 2012: 168］。

一九九九年憲法は一五八条にて地方分権化を謳い、一九八九年に開始された地方分権の流れを継続して、州の権限（一五九〜一六七条）、地方自治体の権限（一六八〜一八一条）を定めた。しかしその一方で、六条では新しい国家が参加型であると定め、八四条で医療制度について認めているように、地方自治体より下位のコミュニティのレベルでの政策決定への参画を求めた［ブリセニョ 2016］。具体的には、一八二条にて地方計画委員会（consejos locales de planificación）を地方自治体の下に作ること、一八四条にてコミュニティや住民組織に基礎サービスについての権限を委譲することを定めた。

この規定に沿って二〇〇二年に地方計画委員会が作られたが、従来の地方自治体の影響下におかれるに留まった［Lalander 2012: 171］。

そこでチャベス政権は二〇〇六年四月に新しい法律によって、地方自治体から自律した地域住民委員会（consejos comunales, CC）をこれに置き換え、独自の権限と財源を与えた。CCは都市部で二〇〇～四〇〇、農村部で二〇ほどの家族を組織するもので、テーマごとに委員会を作成し、基礎的サービスについて優先順位をつけて予算執行を行う自律性を与えられた［Ellner 2009; ブリセニョ 2016］。二〇〇五年から設立され始めたCCは、二〇〇六年の時点で二万弱［林 2007: 34; García-Guadilla 2008; Handlin 2016: 1248］、二〇一三年には四万ほどに上った［Balderacchi 2017: 136］。また設立と同時に、地方交付金と鉱業・炭化水素部門からの補助金を地方自治体よりもCCに多く配分する改革が行われた［Rangel 2010: 81-82］。

CCは憲法六二条や七〇条に定められた多様な公的事項に市民が自由に参加する権利を体現するものとされたが、同時に「二一世紀の社会主義」を実現しようとするチャベス大統領のイデオロギーに沿って著しく政治化されたものとなった。ホーキンズは、二〇〇七年のサーベイ・データから、全回答者の三五・五％がCCに参加し、女性や貧困層、高等教育を受けていない層でCCへの参加が多いが、同時に、チャベス支持を表明した人ほど参加しやすい傾向があることを明らかにしている［Hawkins 2010］。その理由として、反チャベス派はCCを設立することにためらいがある［Hawkins 2020］、チャベス派でなければCCを登録できないといった批判がある［Balderacchi 2017: 137-138］。さらに二〇一〇年には、CCの代表であるコミューンを設立して政権中枢との結びつきを強め、親政権派に限られた大衆動員の仕組みを強化していった［ブリセニョ 2016］。

CCは、ブラジルのポルト・アレグレをはじめ、ラテンアメリカ諸国で試みられた住民参加型の予算決定メカニズムのベネズエラ版になりえたかもしれないが、実態としては、チャベス派か否かといった政治的支持態度にもとづいて一部の集団に利益をもたらし、選挙での支持を調達する手段になったという評価が一般的である［ブリセニョ 2016; Handlin 2016; Balderacchi 2017］。その理由として、中央政府と州・地方自治体における与野党対立を反映して、政治的思惑から急ごしらえされたことが挙げられる。また、チャベス大統領の号令のもとで上から制度と財源が与えられたことは、この制度が実践において理想から乖離した直接的な原因と言えるだろう。

6. 結びにかえて

ベネズエラにおける一九九九年の憲法改正は、それに先立つ政治経済状況に対する社会的不満を考えると、起こるべくして起きたと言うべきだろう。一九七八年以降、ラテンアメリカ諸国はおしなべて一回程度は新憲法を作っていることからすれば、その点でベネズエラが特異なわけではない。

しかし、与野党対立を顕著に反映したその具体的な方法は、異なった政治的意見を調整する制度ルールとしての役割を憲法に与えず、むしろ大統領への権力集中を進め、一部の人々に有利な状況を作り出すことになった。コラレスが指摘したように、ベネズエラの一九九九年憲法は、対立するアクターが共に価値を見出し、その制度ルールに則って意見や利益の調整を行うことで憲法体制と政治を安定化させる「自己強化的なもの（self-enforcing）」にはならなかった［Corrales 2018］。もし一九四〇～五〇年代にベネズエラが経験した対立と協調の歴史から学ぶことができたならば、たとえそれが二〇世紀後半には既存政党の馴れ合い政治という問題をうんだとはいえ、より持続的な方法を探ることができたのではないだろうか。

他方で、政党支配を許し、クライアンテリズムによって市民が政党政治から独立した形で執政者に責任を求める仕組みを欠く政治システムをうんだ一九六一年憲法に対するアンチテーゼとして、一九九九年憲法は新たな政治的包摂の仕組みを試みたが、それは別の形でのクライアンテリズムを作るに留まったように思われる。コミュニティ・レベルでの住民参加型制度の導入や政治的恣意性を伴った運用に陥ることは、一九九〇年代以降に他のラテンアメリカ諸国の経験にも見られた経験である。そうした中ベネズエラで際立っているのは、市民社会レベルでの動きが早くからチャベス大統領を取り巻く与野党対立に取り込まれ、政治からの自律性を持たなかったことだろう。そうした条件は、ベネズエラの歴史的背景やチャベス大統領の統治スタイル、石油輸出を中心とした経済構造にもよるだろうが、制度デザインによる工夫も検討されてよいだろう。ベネズエラやチャベス政権の特異性に拘泥《こうでい》することなく、様々な政治制度の可能性を議論することが今後も望まれる。

謝辞

本章の草稿について、林和宏氏より貴重なコメントを頂いたので記して感謝する。残された誤りなどは全て筆者の責任である。

【引用文献】

坂口安紀（２０１８）「ベネズエラにおける制憲議会の成立と民主主義の脆弱化」『ラテンアメリカ・レポート』34（２）、48～59頁。

———編（２０１６）『チャベス政権下のベネズエラ』日本貿易振興機構アジア経済研究所。

———（２００８）「ベネズエラのチャベス政権」遅野井茂雄・宇佐見耕一編著『21世紀ラテンアメリカの左派政権』日本貿易振興機構アジア経済研究所、35～62頁。

林和宏（２００９）「ベネズエラにおける改憲論議の系譜」『海外事情』57（11）、１１１～１３１頁。

———（２００７）「ベネズエラにおける『地域住民委員会』の台頭」『ラテンアメリカ・レポート』24（２）、28～38頁。

ブリセニョ、エクトル（２０１６）「民主主義と政治参加の変容」坂口安紀編『チャベス政権下のベネズエラ』日本貿易振興機構アジア経済研究所、23～59頁。

マインゴン、タイス（２０１６）「政治制度改革と新たな政治アクターの台頭」坂口安紀編『チャベス政権下のベネズエラ』日本貿易振興機構アジア経済研究所、61～94頁。

Balderacchi, Claudio. 2017. “Participatory Mechanisms in Bolivia, Ecuador and Venezuela” *Government and Opposition* 52 (1), pp.131-161.

Bertelsmann Transformation Index. 2012. https://www.bti-project.org/en/meta/downloads.html 2020年5月14日閲覧

Cheibub, José Antonio, Zachary Elkins, and Tom Ginsburg. 2012. “Still the Land of Presidentialism?” in Detlef Nolte and Almut Schilling-Vacaflor eds. *New Constitutionalism in Latin America*. Farnham: Ashgate. pp.73-98.

Coppedge, Michael. 2002. Venezuela. Working Paper 294, Kellogg Institute, University of Notre Dame.

Corrales, Javier. 2018. *Fixing Democracy*. New York: Oxford University Press.

Elkins, Zachary, Tom Ginsburg, and James Melton. 2020. *Characteristics of National Constitutions* [v.2.0]. (comparativeconstitutionsproject.org（二〇二〇年五月六日閲覧）

Ellner, Steve. 2009. "A New Model with Rough Edges." *NACLA Report on the Americas* 42(3), pp.11-14.

García-Guadilla, María Pilar. 2008. "La praxis de los consejos comunales en Venezuela" *Revista Venezolana de Economía y Ciencias Sociales* 14(1), pp.125-151.

Gargarella, Roberto. 2012. "Latin American Constitutionalism Then and Now." In Detlef Nolte and Almut Schilling-Vacaflor eds. *New Constitutionalism in Latin America*. Farnham: Ashgate, pp.143-160.

———, Roberto. 2018. "Constitutional Changes and Judicial Power in Latin America." in Tulia G. Falleti and Emilio A. Parrado eds. *Latin America since the Left Turn.* Philadelphia: University of Pennsylvania Press, pp.189-213.

Handlin, Samuel. 2016. "Mass Organization and the Durability of Competitive Authoritarian Regimes." *Comparative Political Studies* 49 (9), pp.1238-1269.

Hawkins, Kirk A. 2010. "How Mobilizes? Participatory Democracy in Chávez's Bolivarian Revolution." *Latin American Politics and Society* 52(3), pp.31-66.

Karl, Terry Lynn. 1997. *The Paradox of Plenty.* Barkeley: University of California Press.

Kouba, Karel. 2016. "Party Institutionalization and the Removal of Presidential Limits in Latin America." *Revista de Ciencia Política* 36(2), pp.433-457.

Lalander, Rickard. 2012. "Neo-Constitutionalism in Twenty-first Century Venezuela" in Detlef Nolte and Almut Schilling-Vacaflor eds. *New Constitutionalism in Latin America*. Farnham: Ashgate, pp.163-182.

McCoy, Jennifer. 1999. "Latin America's Imperiled Progress." *Journal of Democracy* 10(3), pp.64-77.

McKie, Kristin. 2019. "Presidential Term Limit Contravention." *Comparative Political Studies* 52(10), pp.1500-1534.

Morgan, Jana. 2012. *Bankrupt Representation and Party System Collapse.* University Park: The Pennsylvania State

University Press.
Negretto, Gabriel. 2008. "Political Parties and Institutional Design." *British Journal of Political Science* 39, pp.117-139.
———. 2012a. "Toward a Theory of Formal Constitutional Change." in Detlef Nolte and Almut Schilling-Vacaflor eds. *New Constitutionalism in Latin America*. Farnham: Ashgate, pp.51-72.
———. 2012b. "Replacing and Amending Constitutions." *Law & Society Review* 46(4), pp.749-779.
Poguntke, Thomas, and Paul Webb eds. 2005. *The Presidentialization of Politics*. Oxford University Press.
Rangel Guerrero, Christi. 2010. "Municipios, consejos comunales y democracia en Venezuela Procesos Históricos." *Revista de Historia y Ciencias Sociales* 17 (enero-junio), pp.70-92
Roberts, Kenneth. 2003. "Social Correlates of Party System Demise and Populist Resurgence in Venezuela." *Latin American Politics and Society* 45(3), pp.35-57.
Silva, Eduardo. 2012. *Challenging Neoliberalism in Latin America*. Cambridge: Cambridge University Press.
Silva, Eduardo, and Federico Rossi eds. 2018. *Reshaping the Political Arena in Latin America*. Pittsburgh: University of Pittsburgh Press.
Whitehead, Laurence. 2012. "Latin American Constitutionalism." in Detlef Nolte and Almut Schilling-Vacaflor eds. *New Constitutionalism in Latin America*. Farnham: Ashgate, pp.123-141.

第4章　ベネズエラ、何が真実か？

新藤通弘

はじめに

二〇二〇年四月二五日、ベネズエラ政府は、新型コロナウイルスで、確認感染者は五人、累積感染者数三二三人、当日死亡者ゼロ、累積死亡者一〇人と発表した［MINSAP 2020］。この日米州（米国、カナダを含む南北アメリカ）全体では、確認感染者三万一五五人、累積感染者数一〇七万二六八〇人、当日死亡者一八三五人、累積死亡者六万七五二人であった［Granma 2020］。この日、『時事通信』は、次のように報道した。

ベネズエラの多くの病院では長年、設備投資が不十分な上、医薬品や医療器材が慢性的に不足し、医師も大量に移住しているため、新型コロナによって極めて深刻な危機に陥りうる〝最有力候補〟国である。

同国では以前から、ハイパーインフレと食料・医薬品の欠乏で国民生活が困窮し、人口の一五%に当たる五〇〇万人近くが難民として国外へ流出する中、今度は新型コロナ禍に見舞われたわけで、ベネズエラは一層悲惨な状況に直面している。

ところが、六月一一日にBBC放送は、イギリス人のジャーナリスト、アンディ・ロビンソン（Andy Robinson）とのインタビューを掲載した。彼は、インタビューの中で、キューバ、ベネズエラのパンデミック対応を以下のように評価した。

（質問）「ラテンアメリカで、コロナウイルスに適切な処置をとっているのはどの国か？」

（回答）「キューバとベネズエラのパンデミック対処能力が目を引いた。とくにベネズエラは、その医療システムに資金を投入するためには困難を抱えている。しかしベネズエラでは、アメリカの制裁、封鎖、ニコラス・マドゥロ（Nicolás Maduro）政権自体の行動の誤りにもかかわらず、悲惨な状況は見られなかった」

一八〇度違う報道である。現在、ベネズエラについての報道の基準は、日本の内外においても、マドゥロ大統領の正当性を認めるかどうかで、正反対のものになっている。米国、EU諸国の大半、日本を含め五二ヶ国がニコラス・マドゥロ大統領を、法的に正当性をもたないとして認めず、フアン・グアイドー（Juan Guaidó）臨時大統領を正当な大統領と認めている。一方、非同盟諸国一二〇ヶ国を始め、一四〇ヶ国は、マドゥロ政権を正当と認め外交関係を維持している。以下、ひとつひとつのテーマを見てみよう。

1．マドゥロ大統領の正当性

(1) 制憲議会の成立

マドゥロ政権が正当性をもっていると見られるのは、次の経過からである。

二〇一六年二月から野党の民主団結会議（MUD）は、マドゥロ大統領退陣に向けた罷免国民投票を求めた。しかし、全国選挙評議会（CNE）への申請承認が大きく遅れ、罷免国民投票を二〇一六年中には実現できなかった。そこで野党は、二〇一七年一月、多数を占める国会で多数決により、マドゥロ大統領が職務放棄（憲法第二三三条の絶対的不存在）をしているとの宣言を採択した。当然宣言は憲法の規定に合致しておらず、最高裁は、無効と判断したが、野党は国会で閣僚の罷免要求を乱発し、国会は機能不全になった。また、野党は、四～五月にかけて過激な暴力デモを頻繁に行った。

そこで二〇一七年五月一日、マドゥロ大統領は、憲法第三四七条（制憲議会選挙の許可）などに基づいて制憲議会の招集を提案。当初、民主団結会議は、制憲議会選挙への参加の意向を示し、与野党会議で従来の国会と制憲議会が共存すること、議席の配分も合意した。しかし、双方がその合意書にまさに署名しようとしていた時、米国大使館から野党側の携帯に電話があり、野党は合意書に署名しないと態度を豹変した〔EFE 2017〕。制憲議会の正当性を否定することは、この野党の討議プロセスと到達点、合意点を否定することになる。

与野党双方は、二〇一七年九月一三日からは、ドミニカ共和国でメディーナ（Danilo Medina）ドミニカ大統領、サパテーロ（José Luis Rodríguez Zapatero）元スペイン首相の仲介で、会談を行った。野党の過激派、大衆意志党（Voluntad Popular）は会談に参加しなかったが、与野党協議は断続的に行われた。協議では、①ベネズエラの主権、ベネズエラへの干渉と制裁への反対、②大統領選の選挙日程、選挙の保証、③立憲主義国家の強化、④経済・社会政策、⑤真相究明委員会、⑥合意検証委員会の六項目が話し合われ、野党の意見が入れられ、合意に達した。

最終的には二〇一八年二月六日、政府側は、合意書の署名のためにドミニカを訪問し、合意書に署名して、野党側の署名を待つことになった。しかし、フリオ・ボルヘス（Julio Borges）野党代表は、コロンビアにいるティラーソン（Rex Wayne Tillerson）米国務長官から電話を受け、署名しないようにとの指示で翻意し、署名をしなかった〔HispanTV 2018; TS 2018a〕。仲介者のサパテーロ元首相は、双方が合意に達していた文書を公表し、野党側の不誠実な態度を批判している。

(2) 野党も参加した二〇一八年の大統領選挙

また、二〇一八年五月の大統領選挙も、野党勢力、民主団結会議の分裂の中で、その主流派は米国の強硬な圧力で選挙戦をボイコットした。しかし野党の一部は選挙に参加した。この選挙は、米国を始め、それに追随する米州諸国一五ヶ国による執拗な非難、米国が支配する米州機構（OAS）、国際通貨基金（IMF）などの国際機関による批判、異常な大手マスメディアによるマドゥロ政権の民主主義批判、選挙が不公正であり選挙結果を認めないというキャンペーン、三年連続の経済後退により国民が生活に大きな不満をもっている中で行われた。

結果は、拡大祖国戦線（Frente Amplio de la Patria）のマドゥロ現大統領が、再選された。選挙は、有権者数二〇五二万七五七一人のうち、投票数は八六〇万三三三六票、投票率四六・一%、マドゥロ候補は得票数五八二万三七二八票（六七・七%）を獲得した。マドゥロ候補は、第二位の野党ファルコン（Falcón）、進歩的前進党（Avanzada Progresista）、キリスト教民主党（Comité de Organización Política Electoral Independiente: COPEI）、社会主義運動党（Movimiento al Socialismo）の統一候補得票数一八二万五五二票（二一・一%）、第三位野党ベルトゥッシ（Bertucci）変革希望党（Esperanza por el Cambio）候補得票数九二万五〇四二票、第四位野党キハーダ（Quijada）、国民政治団結八九党（Unidad Política Popular 89）得票数三万四六一四票を抑えて当選した。野党のMUDが選挙に参加しなかったが、MUDの半数は投票に回ったものと思われる。

重要なことは、MUDの過激派のやり方に同意しない、MUDのメンバーであるキリスト教民主党、社会主義運動党などが、選挙に参加し、与野党の対決の中で選挙が戦われたことである。これまで、大統領戦は、ウゴ・チャベス（Hugo Chávez）あるいはマドゥロ対正義第一党（Primero Justicia）のエンリケ・カプリーレス（Henrique Capriles）といった主要な左右両派の正面対決で行われ、正義第一党以外の野党派の他の候補者の得票数は一〇万を超えるものはなく、まったくの泡沫候補であった。しかし、今回は、非主流反対派に二〇〇万、一〇〇万票が投票された。ベネズエラは、両極が激しく対立していている二極化社会であるが、ある意味では、三極社会となり、今後の平和的、民主的対決のあり方が示されたとも言える。

（3）選挙結果を巡る報道の奇妙な一致

しかし、選挙結果を巡り、米国のドナルド・トランプ（Donald Trump）大統領、マイク・ペンス（Mike Pence）副大統領、マイク・ポンペオ（Mike Pompeo）国務長官が繰り返して「不正選挙」と決めつけて批判し、また米国に追随するリマ・グループ一四ヶ国（米国と親密な関係を持つ）、米国と親密な関係を持つイギリス、スペインなどのEU諸国なども、低投票率、選挙の基準、公平性、透明性に疑問があり「不正選挙」として、承認しないという合唱が行われた。内外のメディアも、ニューヨーク・タイムズ、ワシントン・ポスト、CNN、BBC、ロイター通信、時事通信、朝日新聞、毎日新聞なども、「マドゥロ政権は、独裁色を強め、野党を弾圧し締め出して選挙を強行した、昨年三度の選挙は不正疑惑がつきまとったものであった、ハイパー・インフレ、食料、医薬品の不足で、国民の不満はますます高まり、大量に海外に出国し、経済は破たん寸前で、人道危機に陥っており、国際的にも孤立は深まり、政権運営はますます困難になる」と、異口同音に報道した。

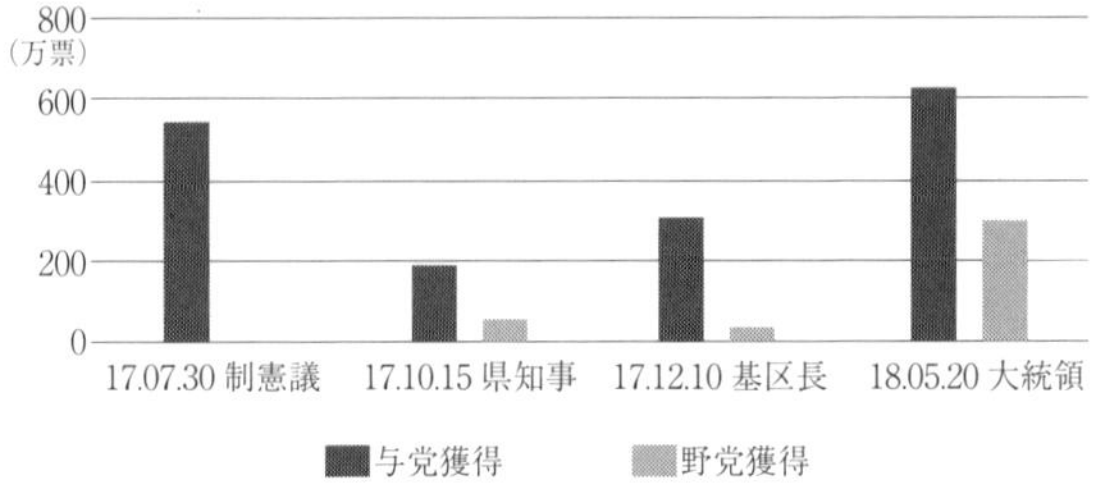

図１　ベネズエラ、最近の４選挙与野党支持比較

注：制憲議会は、野党の議席数はゼロ。県知事選は、与党 18 県、野党 5 県だが、視覚的にわかるように 10 倍してある。基礎行政区長選は、区長の実数で、大統領選は、得票数の比較。
出所：CEN, Venezuela より。

しかし、この選挙に、オブザーバーとして参加した海外選挙監視機関「ラテンアメリカ選挙専門家理事会」（CEELA）は、「投票は自由に行われ、ベネズエラ人の意思が尊重された。結果を全員が認めるべきだ」とする見解を表明した。

また、**図1**は、二〇一七～二〇一八年の選挙結果を示すものであるが、与党派の優位は揺るがないものであり、二〇一八年五月の選挙が、マドゥロ大統領の正当性を示すものではないという議論は無理筋であろう。

2．グアイドー暫定大統領の正当性

(1) 無法なグアイドー議長の大統領自己宣言

二〇一九年一月五日、輪番制で野党が支配する国会議長に大衆意志党（Voluntad Popular）のファン・グアイドーが選出されると、グアイドー氏は、「軍部の支持があるならばマドゥロ氏に代わり臨時大統領に就任し、その後に自由選挙を実施する用意がある」と表明し、米国とリマ・グループの要望に呼応する発言を行った。

グアイドー議長は、一月二三日、突然、野党の集会で「(憲法)第三三三条及び三五〇条に基づく責任を私は果たす。非暴力を約束する。(マドゥロによる)権限侵害を止めさせるため、ベネズエラの使命を与えられた大統領として国家行政権を正式に掌握することを誓う」と宣言した。しかし、この二つの条文は、憲法擁護の精神を述べたもので、大統領を宣言する理由は書いていない。グアイドー議長の宣言の直後、ポンペオ米国務長官は、「米国は、憲法第二三三条に基づき(絶対的欠缺=不存在)就任したグアイドー新臨時大統領を承認する」と述べた。実は、グアイドー議長は、同日ボルトン(John Bolton)補佐官に、米時間午前九時二五分、ベネズエラ時間午前一〇時二五分に電話し、暫定大統領宣言の文言を相談していたのである[Bolton 2000: 256]。

確かに、憲法の内容からすれば、マドゥロ大統領の不存在を問うことには無理がある。しかも、同じ野党の社会主義運動党のフェリーペ・ムヒカ(Felipe Mújica)議長[GV 2019a]、エンリケ・カプリーレス正義第一党の指導者[El Nuevo Herald 2019]も、自己宣言に反対しており、二三日にグアイドー議長が暫定大統領を宣言するとは知らなかったと証言している。

(2) 大統領自己宣言を演出したトランプ政権

実際は、前夜の二二日、ペンス副大統領がグアイドーに電話し、大統領を宣言するなら支持すると約束していたのである。これは、数週間前から、米国政府上層部、同盟国、国会議員、ベネズエラの野党と極秘に進められた計画によるものであったと、その後『ウォール・ストリート・ジャーナル』は報道している[WSJ 2019]。同氏の自己大統領宣言は、国会の決定自体が無効とされている国会でも事前の承認を得ておらず、街頭で行ったものであり、無法で、正当性は疑わしいものである。実際、二〇一九年一月二一日～二月二日に行われたインテルラセス社による世論調査によると、マドゥロ氏を合法的と見る人々は五七％、グアイドー氏を正当と認めるのは三二％、回答なしが一一％であった［GV 2019d］。

（3）人道的支援の自己演出

グアイドー氏が、二〇一九年一月に自己大統領宣言を無法に行った後、二月二三日早朝、グアイドー氏は、反政府派を組織し、「人道支援物資」をコロンビア領からベネズエラ領に強行搬入を行おうとした。政府側は、支援物資は国際赤十字あるいは政府間の合意により秩序ある形で受け取るとして、それに反対した。するとグアイドー氏は、支援物資を積載した三台のトラックをベネズエラ領に搬入しようとしたが、ベネズエラの国家警備隊に阻まれ入国できず、一台が炎上し、ベネズエラの国家警備隊の仕業と見えるように仕組んだ。グアイドー氏は、支援物資を積載したトラックの炎上は、国家警備隊が行ったものであり、マドゥロ政権が、国民の困窮に背を向けていることを示していると国際世論に訴え、国際メディアもそのように異口同音に報道した。しかし、その後、三月一〇日、『ニューヨーク・タイムズ』紙は、炎上させたのは、実は、反政府グループの行為であることを暴露した。

（4）今度はクーデターで政権奪取をねらう

四月三〇日になると、早朝、首都カラカスで野党の大衆意志党を中心とする過激派により、クーデター未遂事件が発生した。このクーデターは、二ヶ月前から米国国務省筋の首謀のもとに「自由作戦」という名前で計画され、レオポルド・ロペス（Leopoldo López）、グアイドーなどの反政府派により実行された。これらの勢力は、フィゲーラ（Figuera）内務省司法諜報局長官、モレーノ（Moreno）最高裁長官、パドリーノ（Padrino）国軍司令官を調略して、マドゥロ大統領を放逐しようとした。フィゲーラは調略に陥り、レオポルド・ロペス大衆意志党党首を自宅軟禁から脱出させ、ロペスとグアイドーが、一部の国家警備隊、国防軍、国家諜報組織に呼びかけ、それに呼応して重機関銃で武装した数十人が蜂起した。ロペス党首とグアイドー議長は、三〇日早朝から再三再四、軍隊と市民にクーデターに加わるように呼びかけたが、軍も市民もそれに反応しなかった。結局、同日午後七時頃にはクーデター実行者は、政府の反撃を受けて散発的に撤退し、クーデターは失敗した。

このクーデターの準備に当たって、米国政府、反政府派は、執拗にモレーノ最高裁長官の離反を図り、同長官が、一六年一月以来活動が無効とされ、一九年一月に無効が再確認されていた国会を合法化して、それによりグアイドー氏の大統領就任を合法化しようと画策したことが判明している［WP 2019］。このことは、グアイドーの暫定大統領自己宣言が、合法的ではなかったことを、グアイドー派自身が認めたものである。

（5）再度クーデターを起こすも失敗

しかし、グアイドー一派は、二〇一八年五月の大統領選挙後からマドゥロ政権打倒の計画を練っており、一九年四月三〇日の「自由作戦」クーデター計画の失敗後、さらに、二〇年六月、チリのセバスティアン・ピネェーラ（Sebastián Piñera）政府、コロンビアのイバン・ドゥーケ（Iván Duque）政府、米国のボルトン大統領補佐官の支援を受けて、六月二三〜二四日にクーデターを実行する手はずであった。しかし、ベネズエラ政府は、これを察知しており、クーデター計画に関与した七名の治安当局関係者のうち、六名を事前に逮捕し、クーデターは未遂に終わった［DW 2019］。クーデターは、①マドゥロ大統領、ディオスダード・カベージョ（Diosdado Cabello）制憲議会議長及びフレディ・ベルナル（Freddy Bernal）タチラ州担当保護官を拘束し殺害する、②レベロル（Reverol）内務司法大臣を拘束し、首都の軍の基地を占拠する、③ゴンサレス・ロペス（González López）ボリーバル国家諜報局（Sebin）長官を拘束し、二〇〇九年から、セビン（国家諜報機関）に拘束されているラウル・バドゥエル（Raúl Baduel）大将（退役軍人）を解放し、大統領として宣誓させることを目的としていた。これらの攻撃には、イスラエル、米国、コロンビアの戦闘員も参加することになっていた［EFE France 24, 2019］。

（6）国会議長に再選されず

二〇二〇年一月五日、国会の新指導部が憲法第一九四条に従い、選出された。与野党の国会議員一六七人のうち、一五一名が出席（定足数は三分の二の一一二人）。出席野党議員の中には、マドゥロ政権と熾烈に言論戦を戦わせている、スターリン・ゴンサーレス（Stalin González、新時代党Un Nuevo Tiempo）、ラモス・アジュップ（Ramos Allup、民主行動党）、フアン・パブロ・グアニパ

(Juan Pablo Guanipa、正義第一党）などの有力な野党指導者もいた。グアイドー議長は、国会で再任されないと思っていたのか、欠席した。新指導部として、国会議長ルイス・パーラ（Luis Parra、正義第一党）、第一副議長フランクリン・ドゥアルテ（Franklyn Duarte、キリスト教民主党）、第二副議長ホセ・グレゴリオ・ノリエガ（José Gregorio Noriega、大衆意志党）、書記ネガル・モラレス（Negal Morales、民主行動党 Acción Democrática）、副書記アレクシス・ビベネス（Alexis Vivenes、大衆意志党）が選出された。主要野党がすべて網羅されていた。投票では、八一人が賛成し（そのうち野党議員は三〇人）、規程の過半数七六名を越えており、適法的に新指導部が選出された。

新国会議長が選出されたことを知った米国務省のマイケル・コザック（Michael Kozak）西半球局次官補代行は、すぐさま、「国会の開催は、定足数不足で、偽物であり、グアイドーは引き続きベネズエラの暫定大統領である」とツイートした。このコザック発言に勢いづいて、グアイドー氏は、午後五時半から、保守系新聞『エル・ナシオナル』紙の建物内で「国会」を開催し、一〇〇名が出席し、グアイドー（大衆意志党）を議長に、ファン・パブロ・グアニパ（正義第一党）を第一副議長に、カルロス・エドゥアルド・ベリスベイティア（Carlos Eduardo Berrizbeitia、ベネズエラ計画党 Proyecto Venezuela）を第二副議長に選出した［EU 2020］。しかし、この「国会」は国会議場外で開催され、定数も満たしておらず、グアイドー氏の新議長選出は無効である。即ち、一月五日以降グアイドー氏は、国会議員で元国会議長である。従って暫定大統領の資格ももちろんない。その後、ベネズエラの主要紙は、中道右派紙も含めて、グアイドー氏を議員と呼び、暫定大統領とは呼んでいない。

（7）再びクーデターを起こすも失敗

また二〇二〇年五月には、コロナ対策で非常事態宣言がなされている中、「ギデオン計画」でマドゥロ拉致未遂事件が勃発した。この事件は、二〇一九年四月三〇日のクーデターが失敗して、大衆意志党の党首レオポルド・ロペスが、より確実にマドゥロ政権を転覆する方法として、同年一〇月から、グアイドーを実行責任者として、トランプ政権とも密接な関係がある、米国の警備会社シルバーコープ社と契約して、マドゥロ大統領を拉致し、米国に連行しようと計画した事件であった［WSJ 2020］。

シルバーコープ社は、トランプ米大統領の集会でも警備を請け負っており、トランプ政権と関係が深い。逮捕されたリューク・デンマン（Luke Denman）の自白によれば、ジョーダン・グドロー（Jordan Goudreau）に計画の指令を与えたのはトランプ大統領であった［BBC 2020］。

三月二三日、クリベル・アルカラ（Cliver Alcalá、アメリカ麻薬取締局DEAの要員）が秘密裏にベネズエラに搬送する予定の大量の武器が、計画を知らないコロンビア警察の末端組織により公道で押収された。そのため二三～二五日に計画されていた「ギデオン作戦」は不可能となり、延期された。すると、三月二六日、米司法省はマドゥロ大統領及び政権高官ら一四人を麻薬テロや麻薬密輸の罪で起訴した。バー（William Barr）司法長官は声明で、マドゥロ氏の身柄拘束につながる情報提供には、最大一五〇〇万ドルの報奨金を提供することも明らかにした。

同日、クリベル・アルカラは、マドゥロ暗殺計画は事実で、グアイドーが関与していると明らかにし［TS 2020］、この情報をベネズエラ政府は入手した。

五日後の三一日、ポンペオ米国務長官は、マドゥロ、グアイドー両氏とも移行政権には加わらない与野党による「移行政権」樹立を柱とする枠組み案を公表した。グアイドーがベネズエラに国民に不人気であることから、もはや役に立たなくなったグアイドーを切り捨てるものであった。

五月三日のベネズエラへの傭兵集団の侵入は、ベネズエラ当局により鎮圧されたが、これをグアイドーは、政府のフェイクニュースと述べた。米国、コロンビア政府も、根拠のない非難と一蹴した。しかし、グドローは、グアイドーと契約を結んだと述べたが、グアイドーは、グドローとは縁が切れており、クリベル・アルカラも知らないと述べた。しかし、その後クリベル・アルカラは、昨年四月のクーデター未遂後からスペイン大使館に亡命中のレオポルド・ロペス大衆意志党党首とグドローの計画実行の仲介役であったと認めている［UN 2020a］。しかも、大衆意志党のグアイドーがグドローとの契約書にサインしたことは、公開された文書からも明らかであり、また、契約の署名の際のグドローとグアイドーの会話の録音も公開されている。グアイドーの「ギデオン作戦」への関与を否定するのは困難である［新藤 2020b］。

（8）憲法違反、刑法違反を繰り返したグアイドー氏

このようにグアイドー氏は、この二年間に三度のクーデターに関与し、一度の騒擾事件を引き起こし、二度にわたる国会無視の行動をとっている。これらの行動は、憲法の遵守を規定した、憲法第一条、第七条に、また大統領の権限の簒奪により大統領の絶対的不在を規定した憲法第二三三条、最高裁の権限を規定した第三三六条に違反しており、さらに国家反逆罪として、刑法第四条にも違反して

いることが、ベネズエラの法学者により指摘されている。大統領として、決して正当性がないことは明らかである［Sputnik 2019］。

ダータ・アナリシスのレオン（León）社長は、一九年三月には国民の六三％がグアイドーにより政府を代えることは可能と考えていたが、二〇年五月現在では、それは二〇％になっているという。

二〇二〇年七月二一日、ベネズエラの中道保守の新聞『グロボビシオン』（Globovisión）が、Datanalisisという保守系の調査会社の調査結果を「グアイドーの人気地に落ちる」と題して、報道しているし、二〇二〇年六月、トランプ大統領は、グアイドーの余りの不人気に、グアイドー氏がベネズエラの正当なリーダーであるか、疑問をもっていると述べている［Axios 2020］。

3．経済危機の原因と現状——厳しい経済状況

（1）交換レート固定の失策でインフレを招く

チャベス大統領は、歴史的な「石油依存体質」（レンティスモ）（GDPの一六％、輸出額の九〇％）から脱出するため経済の多角化を図ったが、一五年の短期間では十分な成果を上げられなかった。〇三年には、慣習となっている資本の海外逃避を避けるため、また輸入食料品などの生活必需品に補助金を支給するため、国内通貨ボリーバルとドルの交換レートを固定した。外貨収入が十分ある場合には、固定レートは機能したが、そうでない場合、交換レートの固定化は、国内通貨の過大評価となり、インフレを恒常的に引き起こす要因となった。二〇〇八年、二〇一四年に石油価格が下

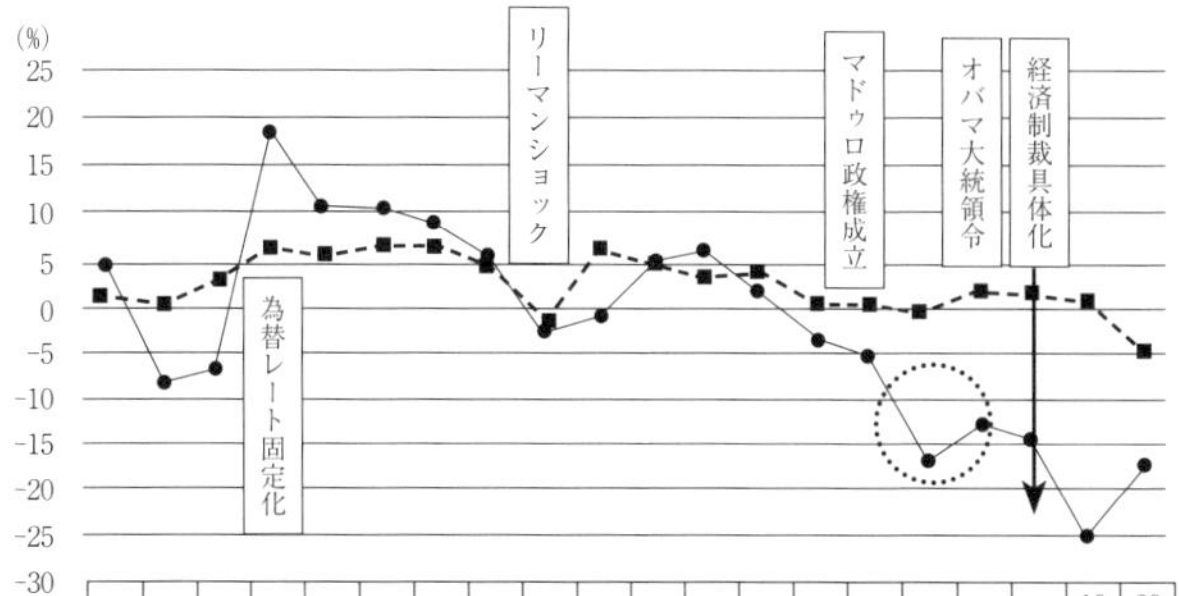

	01	02	03	04	05	06	07	08	09	10	11	12	13	14	15	16	17	18	19 即	20 予
ラテンアメリカ	0.4	-0	2.2	6.1	5.0	5.8	5.8	4.1	-2	6.1	4.2	2.6	2.7	-0	-0	-1	1.3	1.2	0.1	-5
ベネズエラ	3.4	-9	-8	18	10	9.9	8.2	4.8	-3	-1.	4.2	5.6	1.3	-3.	-6	-17	-13	-15	-26	-18

図2　ベネズエラGDP推移（2001～2020年）

出所：CEPAL, BCVより筆者作成。

落した際、補助金を削減し、輸入も削減し、政府は価格の高騰を統制しようとしたが、物資の買い占め、隠匿、横流し、密輸が増加して、闇市場がこの政策を阻んだ。インフレの高騰、物資不足の蔓延、人為的な通貨高などは、貧困層、中間層の生活に大きな打撃を与えることとなった［**図2**］。

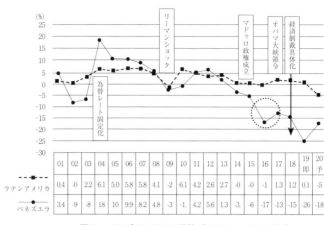

(2) 米国の制裁と破壊行為で一層インフレは悪化

インフレは、二〇一五年に一八一%、二〇一六年に四〇四%で、ハイパーインフレではあったが、数千%という天文学的なものではなかった。しかし、ここまでは、国内の与野党の共同の努力で、ハイパーインフレの鎮静化も、経済の活性化も不可能ではなかった。マドゥロ政権は、国内産業に経済活性化のためベネズエラ経団連（FEDECAMARA）や中小企業に幾度となく協力を要請したが、政治の両極化が進んでいる中で、協力が

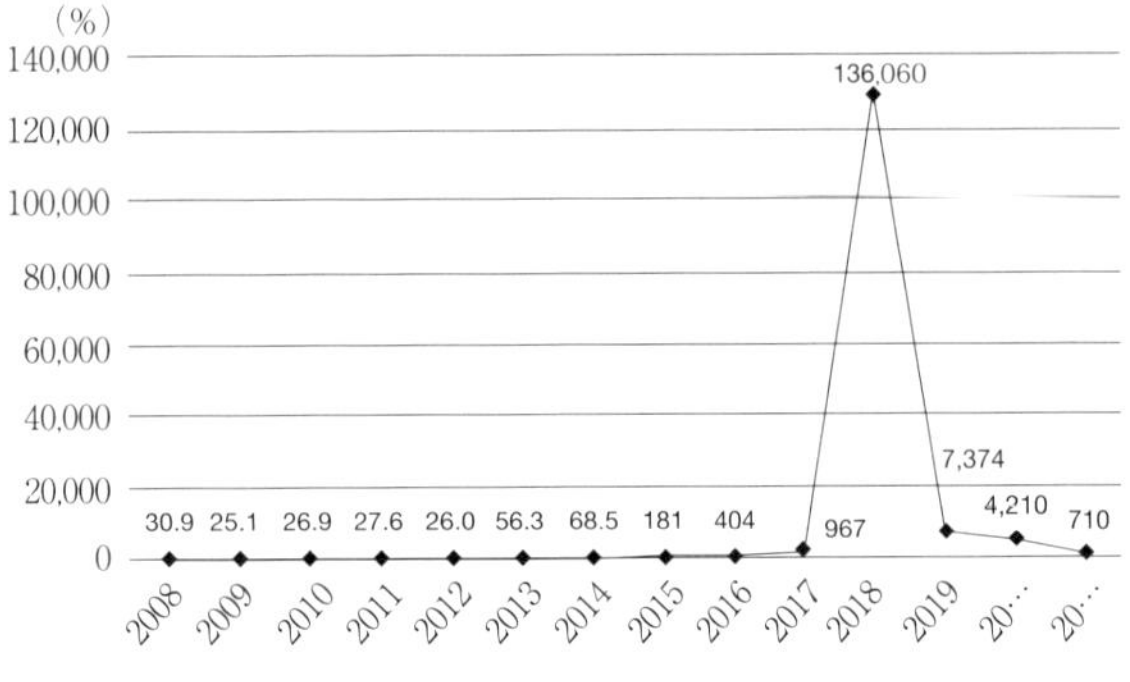

図３　インフレ率（2008～2020年）

出所：CEPAL, BCVより筆者作成。

実現するには至らなかった。

しかし、一四年一二月にバラク・オバマ（Barack Obama）米大統領が「一四年ベネズエラの人権及び市民社会擁護法」で経済制裁を科して以降、ベネズエラ経済は加速的に後退した。インフレは、二〇一七年にトランプ政権により経済制裁が強化される中で性質が変わり、天文学的に悪化した。経済封鎖で最も影響を受けるのは、貧困層であることを忘れてはならない［図3］。

こうした経済状況の中で、実際の生活状況では、いずれも著しく誇張された数字が報道された。一七年、食料不足のために過去一年で国民の約四分の三が痩せ、一人当たりの体重が平均八・七キロ減った（日経）と報道され、さらに一八年の一年間ベネズエラ生活状況調査（ＥＮＣＯＶＩ）で六四％が、体重が一一キロ減ったとされている。二年間で平均約二〇キロ体重が減ったことになる。成人の平均体重が七〇キロと仮定すれば、五〇キロに激減したことになる。しかし、映像や写真で、集会やデモの参加者の顔を観察してもそういう印象はない。筆者のベネズエラの知人に聞いてもそうした事実はないという。いずれも、対象の選択、データ作成に疑問がある。このことから、「食料を保障もできない政府は、政府の資格がない」と断罪する意見があるが、それは報道の真偽の読みが浅いものと言わざるをえない。グアイドー国会議長は、このままでは近く二〇万～三〇万人の餓死者が出るだろうと演説しているが〔GV 2019c〕、その断定の根拠を示していない。事実、その後の事態の展開では、こうした餓死者は出ていない。

このような経済危機の中で、一九年三月、カラカスのグリ発電所の電気供給システムが破壊され、二四県中一八県で九日間停電が続いた。原因は、野党は設備の老朽化によると主張しているが、政府側は、米国防総省、米南方軍司令部により、シカゴとヒューストンから行われた「米の電磁攻撃」として具体的に反論し、国内の犯人二名を逮捕した。この攻撃による被害額は、GDPの一・〇五～一・五％に達すると推計されている〔EU 2019〕。

また、ラテンアメリカ地政学戦略研究所（Celag）によれば、二〇一三年から二〇一七年までの米国による経済制裁の被害は、三五〇〇億ドルに達した〔GV 2019d〕。これは、毎年GDPの二〇％程度に該当する。また、トランプ政権は四月、ベネズエラ石油公社（PDVSA）の在米子会社CITGOの資産一三億ドルを押収し、グアイドー氏の管理下に置くと発表した。

このように米国の破壊行為や経済制裁は、ベネズエラの経済状況を極めて困難にしている。一八年一〇月、IMFは、ベネズエラが二〇一九年、一〇〇〇万％のハイパーインフレの見込みと発表した〔Reuters 2018〕。国際大手メディアも、日本のすべてのメディアも無批判にこれを報道し、それをもとにマドゥロ政権を批判した。しかし、これは、恣意的な過剰な予測で、一九年一月、実際のインフレは食料品、衛生用品などは、二九六・一四％、金額で五五万二八四五・八六ボリーバル、一八年一二月比で増加額は四一万三二八七・〇七ボリーバル、一八年八月からの累計インフレは一万九七〇・二％であった〔GV 2019f〕。一九年八月、ＩＭＦは、インフレが年率一〇〇〇万％に改善としたと発表。差異は実に九〇〇万％であるが、ＩＭＦは、差異九〇〇万％の具体的な説明をしていない〔UN 2019〕。

一九年一〇月、ベネズエラ中央銀行は、ＧＤＰはマイナス二六・八％、インフレは、二〇一八年は一三万六〇％と発表した。さらに二〇年一月、国会は、二〇一九年度のインフレは七三七四・四％、経済ははっきりと回復しつつあるとはいえないが、物資は出回りつつあると報告した。五月には、国会の財政委員会は、インフレは去年からの一年間で四二一〇％と発表した。ハイパーインフレであることに変わりはないが、数百万％という天文学的な数字ではなく、与野党が政治的対決を乗り越えて、米国の経済制裁を排して経済回復に取り組めば改善が不可能な数字ではない。

（3）ハイパーインフレ抑制に貢献した仮想通貨ペトロ

ハイパーインフレの抑制には、ベネズエラ政府が発行した仮想通貨ペトロも一役買っている。ベネズエラ政府は一七年一二月、仮想通貨ペトロの導入を決定し、一八年二月からペトロの事前販売を開始した。するとハイパーインフレも沈静化し始めた。二〇一九年八月からはビットコインの取引が急増している（Coindance、ビットコイン購入量の変化）。ハイパーインフレを、国民は国内通貨ボリーバルを米ドルに換えて使用する経済のドル化で対応していたが、国民は仮想通貨ペトロ、ビットコインを取得し、インフレを防御しているのである。しかし、ベネズエラ経済の破壊をめざす米国政府は

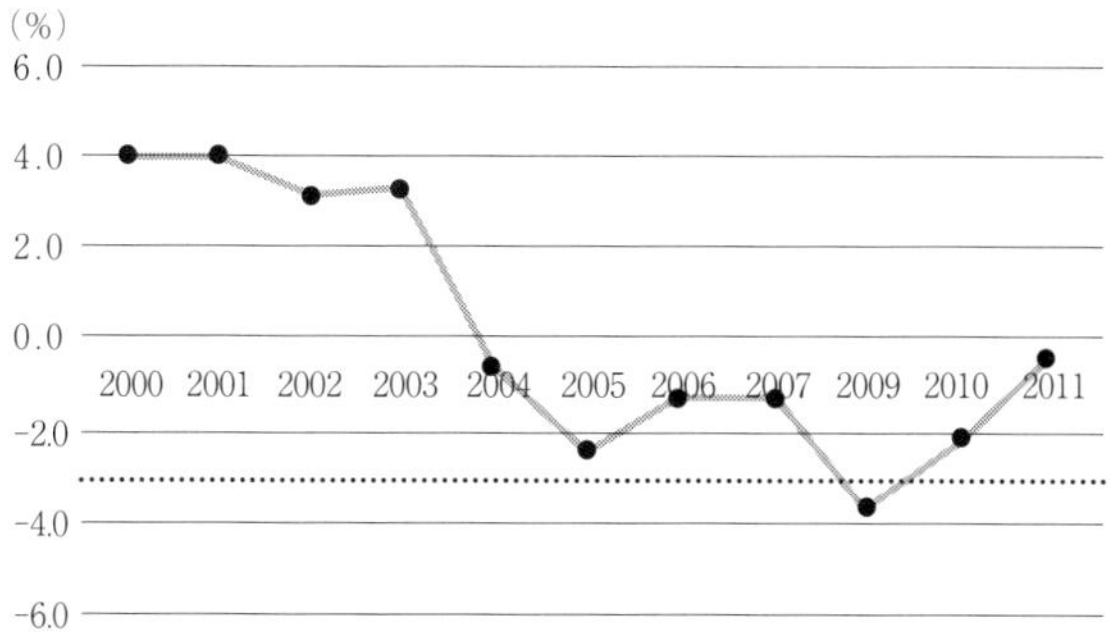

図４　ベネズエラ財政収支推移対 GDP
出所：BCV 資料より筆者作成。

二〇年六月、ベネズエラの仮想通貨事業の最高責任者であるラミレス・カマチョ（Ramirez Camacho）氏を「最重要指名手配リスト」に追加して制裁を科した。一方、ベネズエラ政府は、ガソリン価格の改定に当たり、ガソリンスタンドでの支払いの約一五％がペトロにより行われたと発表。今後、ガソリンスタンドでの外貨支払いの四〇％はペトロで行われる見込みであると発表した。

あるベネズエラ・アナリストは、経済困難の原因の一つとして、「ばらまきともいえる政策の典型は、チャベス前政権時に始まった貧困層向けアパートづくりだろう。二〇〇万戸に達し、事実上、無償で提供される。チャベス前大統領は、中国から購入した白物家電も配った」と断罪している［松島 2019］［**図４**］。

しかし、チャベス政権時代のプライマリー・バランス（基礎的財政収支、財政状態を示す指標）を見ると、概ね許容範囲といわれるマイナス三％以下であり、バラマキで財政規律を失くしたという批判は当たらない。社会福祉政策を「ばらまき」としか見ない観点は、内外の共通の新自由主義経済観と同一で、こうした貧困者への共感のない姿勢で、ベネズエラの社会変革を理解できるであろうか［例えば坂口安紀 2019］。

また、小松崎榮氏は、「国会議長のグアイドー氏が暫定大統領と認定するには、現状では国民多数の合意は得られない、そもそも、ベネズエラの危機の原因は国民の合意を得られないまま、強権的に政権をつくり維持して来たことにあります。〝合意なき為政〟の結果です」と述べている［小松崎 2019］。小松崎氏がこのように一面的に断じるのは、小松崎氏が依拠する松島論文、「米国は制裁の理由として人権侵害や汚職、民主主義の蹂躙などをあげている。グアイドー氏はじめ野党はベネズエラに対する国際的な圧力や制裁を歓迎しており、そのグアイドー支持は七割以上に上る。経済制裁に限った一八年一月の調査（米シンクタンク、アトランティック・カウンセル）では、四七％が支持し、政府に反対する人々の間では八一％に上った」という調査報告によるものである［松島 2019］。

しかし、アトランティック・カウンセル（Atlantic Council of the United States、米国大西洋協議会）は、保守系のシンクタンクで、グアイドー氏を支持し、ロシア、キューバがマドゥーロ政権を支えていると見る立場に立っており、同会の調査は、かなりバイアスがかかっているものである。一月の同会の調査では、政府支持二七％、野党支持三五％、中立三五％で、経済制裁については、不賛成四四％、賛成四七％である。いずれにせよ、反マドゥーロが七〇％以上という数字は、見当たらない。

ところで、一九年一月二一日〜二月二日に行われたインテルラセ社による世論調査によると、マドゥーロが合法的五七％、グアイドーが合法的三二％、回答なし一一％［TS 2018b］である。アトランティック・カウンセルの調査とかなりの違いがある。

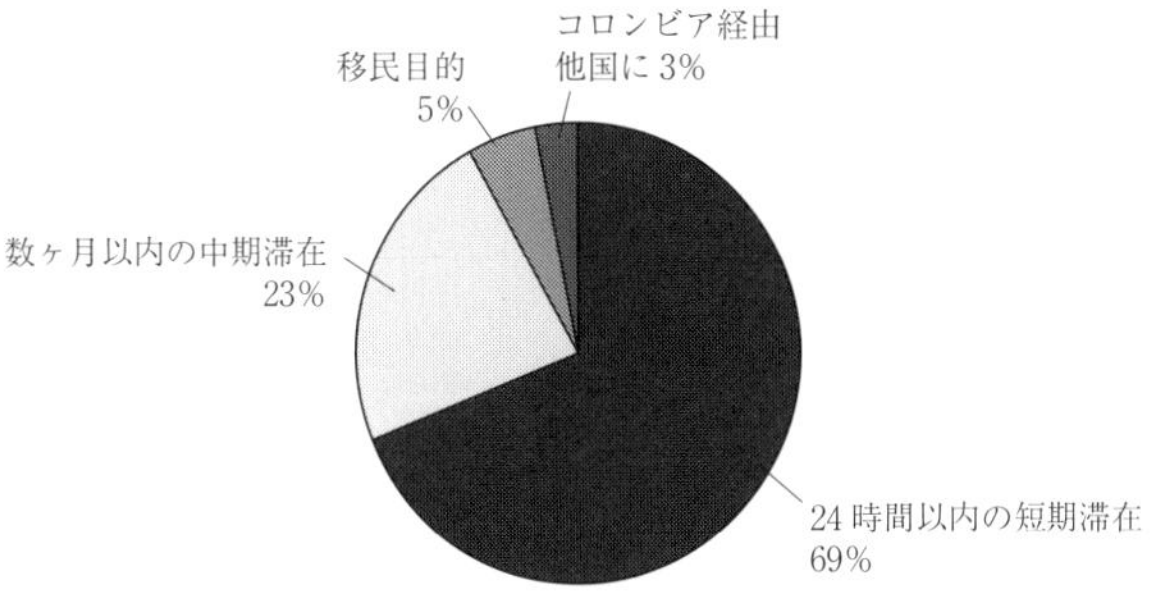

図 5　ベネズエラ・コロンビア国境通過（滞在別）
出所：国際移民機構コロンビア委員会及びコロンビア外務省、
TS 2018 年 9 月 19 日より筆者作成。

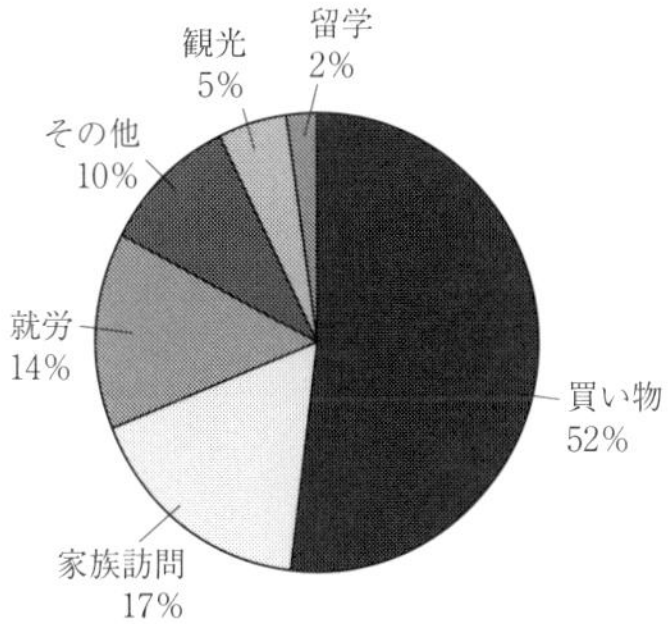

図 6　ベネズエラ・コロンビア国境通過（目的別）
出所：国際移民機構コロンビア委員会及びコロンビア外務省、
TS 2018 年 9 月 19 日から筆者作成。

昨年一〇月には、ベネズエラは、国連人権理事会の理事国選挙で、コスタリカ（九六票）と争い、一〇五票を獲得し、選出された。国際社会は、ベネズエラに重大な人権侵害があるとは見ていないのである。

（4）誇張された移民数

移民問題では、四六〇万人が国外に脱出と言われているが、正確な統計はない。しかし、コロンビア政府統計によると、ベネズエラ＝コロンビア国境を通過する九割近い人々は、買い物や家族訪問、観光の短期滞在と報道されている［TS 2018］。人口統計では、この三年間で、ベネズエラの全人口は、二〇一六年に二九八四万六一七九人、二〇一七年に二九三九万四〇九人、二〇一八年に二八八七万一九五人と推移しており、九七万六〇〇〇人の減少となっている［Expansión datosmacro］。とても四六〇万人の脱出を裏付ける数字ではない。実際は、長期移住者は一〇〇万〜一五〇万人程度と筆者は推定している。

ベネズエラ側でなく、コロンビア政府の資料によれば、買い物、家庭訪問を目的とした短期・中期滞在者が九二％であり、これらを国外脱出と見ることはできない［図5］［図6］。

4．人権が著しく侵害されているか？

（1）国連人権報告とその性格

国連人権理事会は、これまで五本のベネズエラ報告を発表している。

①二〇一七年八月「国連人権高等弁務官の報告」ザイド・ラード・アル・フセイン（Zeid Ra'ad Al Hussein）氏が執筆。

②二〇一八年六月「国連人権高等弁務官事務所報告」ザイド・ラード氏が執筆。

③二〇一八年八月「ベネズエラにおける人権の状況等に関する国連の独立専門家による報告書」国連人権理事会の独立専門家、アルフレド・モーリス・デ・サヤス（Alfred-Maurice de Zayas）専門官が執筆。

④二〇一九年七月「国連人権高等弁務官事務所」三月のミチェル・バチェレ（Michelle Bachelet）国連人権高等弁務官のベネズエラ訪問に基づくもの。

⑤二〇二〇年七月国連人権理事会、バチェレ高等弁務官宛てベネズエラ・レポート。

サヤス氏は、①②の執筆者ザイド・ラード氏は、ベネズエラを訪問せず、反政府勢力の提供した資料に基づいて作成したものと批判している。一方サヤス氏の報告は、ベネズエラで与野党、アムニスティ・インターナショナル、人権監視委員会、ベネズエラ商工会議所などを含めて調査した結果の報告であり、より客観性があると思われる。

④をベネズエラ政府は、「以前の報告のコピー」で、「数え切れないほどの不正確さ、誤り、使用さ

れた情報の不適切な使用による偽りの報告書」を拒否する批判している。

⑤のベネズエラ報告を、ベネズエラ政府は、出所も利用方法も記載していないと批判している。

リマ・グループは、二〇一七年八月にベネズエラの野党勢力が過激な暴力デモで批判を受け、活動が行き詰る中、米国の主導のもとに野党勢力を支援するために結成されたもので、結成以来、常にマドゥロ政権に対して人権問題、民主主義の点で批判活動を行っている。リマ・グループは、創立時、カナダ、アルゼンチン、ブラジル、チリ、コロンビア、コスタリカ、グアテマラ、ホンジュラス、パナマ、パラグアイ、ペルー、メキシコ、ガイアナ、セントルシアの一四ヶ国であったが、一九年一二月現在、ボリビアのクーデターによって樹立された政府が新たに加わる一方、メキシコ、アルゼンチンは共同行動を取っていない。

また、米国によるリマ・グループの結成とその利用は、米国とカナダを抜きにした三三ヶ国が加盟する中南米・カリブ海諸国共同体（ＣＥＬＡＣ）の中に分裂を持ちこみ、機能不全にして、再び米州機構（ＯＡＳ）を中心に西半球を支配しようという米国の覇権政策であることを見落としてはならない。日本の革新勢力の一部に「中南米カリブ海諸国共同体の中にベネズエラの反政府派への弾圧が強まった一七年四月ごろ、この問題への対応をめぐり、キューバが民主主義と人権を破壊し独裁を強めるマドゥロ体制を支え、ラテンアメリカに分断を持ち込み、それ以後、首脳会議は開かれていません」［「２０１９年回顧」『赤旗』二〇一九年一二月一七日］と、あたかもＣＥＬＡＣの停滞の原因が、ベネズエラやキューバにあるような見解が広められている。しかし、事実は、ＣＥＬＡＣ内で米国及びルイス・アルマグロ（Luis Almagro）ＯＡＳ事務総長と協調して、リマ・グループが別行動をとったこと

郵便はがき

料金受取人払郵便

神田局
承認

6430

差出有効期間
2022年12月
31日まで

切手を貼らずに
お出し下さい。

101-8796

537

【受 取 人】
東京都千代田区外神田6-9-5
株式会社 明石書店 読者通信係 行

お買い上げ、ありがとうございました。
今後の出版物の参考といたしたく、ご記入、ご投函いただければ幸いに存じます。

ふりがな お 名 前	年齢	性別

ご 住 所 〒 -

TEL ( ) FAX ( )

メールアドレス	ご職業（または学校名）

＊図書目録のご希望 □ある □ない	＊ジャンル別などのご案内（不定期）のご希望 □ある：ジャンル（ □ない

籍のタイトル

本書を何でお知りになりましたか？
□新聞・雑誌の広告…掲載紙誌名［　　　　］
□書評・紹介記事……掲載紙誌名［　　　　］
□店頭で　□知人のすすめ　□弊社からの案内　□弊社ホームページ
□ネット書店［　　　　］　□その他［　　　　］

本書についてのご意見・ご感想
■定　価　□安い（満足）　□ほどほど　□高い（不満）
■カバーデザイン　□良い　□ふつう　□悪い・ふさわしくない
■内　容　□良い　□ふつう　□期待はずれ
■その他お気づきの点、ご質問、ご感想など、ご自由にお書き下さい。

本書をお買い上げの書店
市・区・町・村　書店　店］

今後どのような書籍をお望みですか？

今関心をお持ちのテーマ・人・ジャンル、また翻訳希望の本など、何でもお書き下さい。

ご購読紙　(1)朝日　(2)読売　(3)毎日　(4)日経　(5)その他［　　　　新聞］
定期ご購読の雑誌［　　　　］

協力ありがとうございました。

意見などを弊社ホームページなどでご紹介させていただくことがあります。　□諾　□否

◆ご 注 文 書◆　このハガキで弊社刊行物をご注文いただけます。
□ご指定の書店でお受取り……下欄に書店名と所在地域、わかれば電話番号をご記入下さい。
□代金引換郵便にてお受取り…送料+手数料として500円かかります（表記ご住所宛のみ）。

	冊
	冊

定の書店・支店名

書店の所在地域
都・道 府・県　市・区 町・村

書店の電話番号　（　　　）

から、CELACは一致した行動がとれなくなったのであった。CELACに分断を持ちこんだのはベネズエラではなく、ベネズエラ問題を利用してCELAC崩しを目論む米国、アルマグロ米州機構事務総長、リマ・グループであったことは明白である。

また、「国民の困窮にもかかわらずマドゥロ体制が存続している背景として、キューバがベネズエラの情報機関を訓練して自国の軍の動きを監視させ、反乱が起きないようにしているという情報や証言は少なくない」という見方も一部で強調されている。この元は、一九年八月二二日付『ロイター』のアンガス・バーウィック（Angus Berwick）記者が、「ベネズエラに、キューバの治安軍が国民の弾圧方法・拷問方法を教え、それによって体制が維持されている」と報道したことに端を発している［Reuters 2019b］。また、一二月には反共機関のカルサ研究所から同研究所の年次報告として「ベネズエラにおける組織的な拷問と拷問の方法へのキューバの参加」が発行された。しかし、キューバ、ベネズエラ政府ともこの報告を否定している。以前一七年六月に拘禁中の過激派反政府派のレオポルド・ロペス大衆意志党党首が拷問されているという告発を野党が行ったとき、政府は同氏の身体の写真を提示して、拷問を否定した。さらに一九年六月には、四月三〇日のクーデター未遂事件に加担し、逮捕されているエドガル・サンブラーノ（Edgar Zambrano）国会第一副議長を米・ベネズエラ議員グループと接見し、同氏が拷問を受けていないことを確認している。

（2）人道的干渉、保護する責任論の論理

国際法の権威である松井芳郎教授は、人道的干渉、保護する責任論に、強い疑念を次のように表明

している。

近年、大規模な人権侵害を阻止するための武力行使（人道的干渉）を合法とする説（例えば二〇〇一年のエバンス報告）がしばしば主張されているが、人道的干渉を合法とする一般的な法的信念が形成されたとは言いがたい。また、内戦、飢餓、虐殺などの人道危機の場合には、人々の安全を確保するために介入する責任が国際社会にあるという主張（「保護する責任」論）も見られるが、だれがどのような手段で介入できるかは明確にされていない。もし、個別国家による一方的な武力介入を認めるという趣旨であれば、それは武力行使禁止の原則にふたたび大きな抜け穴を作ることになるであろう［松井芳郎他 2007: 287］。

また、「本来不可分であるはずの人権は、市民的政治的権利と経済・社会権に二分され、前者が特権化されてきた。……のみならず、市民的政治的権利を重んじる『よい国』が『悪い国』に圧力をかけ、その人権状況を改善させるという構図が定着」したという指摘もある［小阪 2020］。

新型コロナ問題は、各国の新自由主義政治・経済体制がもつ性格を明らかにしたが、米州で感染者数が上位の国、死亡率が上位の国は、米国とそれに協調するリマ・グループ諸国である。人権で最も重要な「命」を重視した政策をとっているのはどの政権か、資料、**表1**及び**表2**を見れば一目瞭然である。

表１　ラテンアメリカ・カリブ海におけるベネズエラの位置
（新型コロナ感染者数順、2020年６月８日現在）

国名	人口（千人）	医師数／1万人	乳児死亡率%	感染者数	死亡率／10万人	感染者／10万人	PCR検査数	検査数／10万人	死亡者数	致死率／百人
ブラジル	211,050	49.7	13.2	710,887	1.77	33.68	999,836	47.4	37,312	5.25
ペルー	32,510	44.4	11.6	199,696	1.71	61.43	1,203,985	370.3	5,571	2.79
チリ	18,592	45.1	6.3	138,846	1.22	74.68	728,815	392.0	2,264	1.63
メキシコ	127,576	51.0	11.5	120,102	1.10	9.41	344,375	27.0	14,053	11.70
エクアドル	17,374	49.3	12.5	43,378	2.10	24.97	127,576	73.4	3,642	8.40
コロンビア	50,339	47.9	12.7	40,719	0.26	8.09	421,725	83.8	1,308	3.21
アルゼンチン	44,781		9.2	23,620	0.15	5.27	198,520	44.3	693	2.93
ドミニカ共和国	10,739	14.6	25.0	20,126	0.50	18.74	94,511	88.0	539	2.68
パナマ	4,246	6025	13.9	16,854	0.94	39.69	72,697	171.2	398	2.36
ボリビア	11,513		28.0	13,949	0.41	12.12	38,092	33.1	475	3.41
グアテマラ	17,581			7,502	0.15	4.27	31,427	17.9	267	3.56
ホンジュラス	9,746			6,450	0.27	6.62	21,540	22.1	262	4.06
ハイチ	11,263	0.3	?	3,538	0.05	3.14	7,451	6.6	54	1.53
エルサルバドル	6,454			3,104		4.81	111,274	172.4	56	1.80
ベネズエラ	28,516	60.0	25.7	2,473	0.01	0.87	1,343,336	471.1	22	0.89
キューバ	11,333	81.9	4.1	2,200	0.07	1.94	120,536	106.4	83	3.77
コスタリカ	5,048	28.9	7.8	1,342	0.02	2.66	29,622	58.7	11	0.82

ニカラグア	6,546	10.1	14.8	1,148	0.07	1.75	?		46	4.01
パラグアイ	7,045	11.6	17.9	1,145	0.02	1.63	38,942	55.3	11	0.96
ウルグアイ	3,462	62.2	7.0	845	0.07	2.44	48,896	141.2	23	2.72
ジャマイカ	2,948	13.2	13.1	599	0.03	2.03	14,802	50.2	10	1.67
ガイアナ	783		26.0	154	0.15	1.97	1,816	23.2	12	7.79
スリナム	**581**		**17.5**	**130**	**0.03**	**2.24**	**1,165**	**20.1**	**2**	**1.54**
トリニダード・トバゴ	1,395			117	0.06	0.84	3,421	24.5	8	6.84
ベリーズ	390			19	0.05	0.49	1,741	44.6	2	10.53
〈参考〉										
中国	1,433,784	17.9	8.0	83,043	0.03	0.58			4,634	5.58
ベトナム	96,462	8.2	16.7	332	0.00	0.03	275,000		0	0.00
米国	2,026,597	25.9	5.7	1,622,670	0.56	8.01	21,727,338		113,061	6.97
日本	126,860	24.1	1.9	17,174	0.07	1.35	224,972	17.7	916	5.33

注：ゴシックは感染者が増加しているとPAHOが懸念している国。地色グレーは新自由主義政策推進政府。地色黒で白抜き文字は反新自由主義政策推進政府。
出所：各種資料より筆者作成。

写真１　第２期就任式でのマドゥロ大統領（2019年１月10日）
出所：Nicolás_Maduro_2019_Inauguration.jpg (789 × 545) (wikimedia.org)

表2　ラテンアメリカ・カリブ海におけるベネズエラの位置
（新型コロナ感染者数死亡率順）

国名	人口（千人）	医師数／1万人	乳児死亡率%	感染者数	死亡率／10万人	感染者／10万人	PCR検査数	検査数／10万人	死亡者数	致死率／百人
エクアドル	17,374	49.3	12.5	43,378	2.10	24.97	127,576	73.4	3,642	8.40
ブラジル	211,050	49.7	13.2	710,887	1.77	33.68	999,836	47.4	37,312	5.25
ペルー	32,510	44.4	11.6	199,696	1.71	61.43	1,203,985	370.3	5,571	2.79
チリ	18,592	45.1	6.3	138,846	1.22	74.68	728,815	392.0	2,264	1.63
メキシコ	127,576	51.0	11.5	120,102	1.10	9.41	344,375	27.0	14,053	11.70
パナマ	4,246	6025	13.9	16,854	0.94	39.69	72,697	171.2	398	2.36
ドミニカ共和国	10,739	14.6	25.0	20,126	0.50	18.74	94,511	88.0	539	2.68
ボリビア	11,513		28.0	13,949	0.41	12.12	38,092	33.1	475	3.41
ホンジュラス	9,746			6,450	0.27	6.62	21,540	22.1	262	4.06
コロンビア	50,339	47.9	12.7	40,719	0.26	8.09	421,725	83.8	1,308	3.21
アルゼンチン	44,781		9.2	23,620	0.15	5.27	198,520	44.3	693	2.93
グアテマラ	17,581			7,502	0.15	4.27	31,427	17.9	267	3.56
ガイアナ	783		26.0	154	0.15	1.97	1,816	23.2	12	7.79
エルサルバドル	6,454			3,104	0.09	4.81	111,274	172.4	56	1.80
キューバ	11,333	81.9	4.1	2,200	0.07	1.94	120,536	106.4	83	3.77
ニカラグア	6,546	10.1	14.8	1,148	0.07	1.75	?		46	4.01
ウルグアイ	3,462	62.2	7.0	845	0.07	2.44	48,896	141.2	23	2.72

トリニダード・トバゴ	1,395			117	0.06	0.84	3,421	24.5	8	6.84
ハイチ	11,263	0.3	?	3,538	0.05	3.14	7,451	6.6	54	1.53
ベリーズ	390			19	0.05	0.49	1,741	44.6	2	10.53
ジャマイカ	2,948	13.2	13.1	599	0.03	2.03	14,802	50.2	10	1.67
スリナム	581		17.5	130	0.03	2.24	1,165	20.1	2	1.54
コスタリカ	5,048	28.9	7.8	1,342	0.02	2.66	29,622	58.7	11	0.82
パラグアイ	7,045	11.6	17.9	1,145	0.02	1.63	38,942	55.3	11	0.96
ベネズエラ	28,516	60.0	25.7	2,473	0.01	0.87	1,343,336	471.1	22	0.89
〈参考〉										
中国	1,433,784	17.9	8.0	83,043	0.03	0.58			4,634	5.58
ベトナム	96,462	8.2	16.7	332	0.00	0.03	275,000		0	0.00
米国	2,026,597	25.9	5.7	1,622,670	0.56	8.01	21,727,338		113,061	6.97
日本	126,860	24.1	1.9	17,174	0.07	1.35	224,972	17.7	916	5.33

注：地色グレーは新自由主義政策推進政府。地色黒で白抜き文字は反新自由主義政策推進政府。
出所：各種資料より筆者作成。

写真２　マドゥロ大統領就任に反対するグアイドー国会議長（2019年2月2日）
出所：Caracas 02 febrero 2019 Juan Guaido Presidente Interino Venezuela Por fotógrafo Venezolano AlexCocoPro - 「guaido」の検索結果 - Wikimedia Commons

5. 制裁と内政干渉

(1) 制裁は戦争に代わる代替手段

マドゥロ政権になって、体制転換をめざす米国の内政干渉は一層頻度を早めている。制裁は、一四年一二月にオバマ米大統領が、制裁法、「一四年ベネズエラの人権及び市民社会擁護法」案に署名した時から、EU諸国も歩調を合わせて始まり、金融制裁は一六年四月から開始されている。

国連のイディリス・ジャザイリ(Idriss Jazairy)制裁特別報告官は、一九年一月三一日、米国がベネズエラへの制裁を強化したことについて、飢餓と医薬品不足につながり、ベネズエラの危機の解決にはならないと強調している。トランプ政権のムニューシン(Steven Terner Mnuchin)米財務長官が言うように、「経済制裁は、国際紛争における戦争に代わる手段であり、戦争よりはるかに良い手段なのである」[杉田 2012]。

(2) 人権は、主権をもった各国政府が解決するもの

前述の小松崎氏は、「ベネズエラの国民は主権を制限ないし奪われ、塗炭の苦しみの状態にあります。その状況の是正を一緒に提案する必要があります。そうでないと『独立国の主権』の尊重と言う崇高な理念が、主権者たる国民への抑圧や弾圧に対する国内外の厳しい目からの隠れ蓑(口実)に使われ、政権維持の方便に使われかねません。アメリカが介入の口実に『人道支援』を言うように、現政権の悪政の擁護に『内政干渉』や『国の主権』が使われかねないと思われます」と述べている[小

松崎 2019〕。しかし、これは、政権が国民に支持されていないと第三者が一方的に決めつけ、したがってその国の主権を擁護はできないという、内政干渉を容認する危険な論理である。

人権概念は、第二次世界大戦後、国連憲章（一九四五年）、世界人権宣言（一九四八年）、国際人権規約（一九六六年）A規約、B規約、ウィーン宣言及び行動規約（一九九三年）で発展されたが、いずれも、「人権及び基本的自由は、すべての人間が生まれながら有する権利である。それらの発展及び保護は、各国政府の第一義的義務である」と、民族自決権にもとづく、各国政府の問題と規定している〔小阪 2020〕。確かに杉原泰雄氏も言うように「国際交流の時代においては、人権の保障が国際問題化することは不可避である」〔杉原 1995: 241〕。しかし、人権問題は国際問題化することはあっても、国際的課題ではない。「現代では人権問題は、内政問題ではなく国際的課題である」という命題を引き出すことは、民族自決権をないがしろにする飛躍論となり、内政干渉を容認するものとなる。

筆者は、主権の擁護は、かつてレーニンが、ローザ・ルクセンブルグとの論戦において次のように述べたように、政治的傾向の評価よりも上の上位概念と考えている。

「民族自決権は民主主義の原則であり、『この一般民主主義的な内容を無条件に支持』しなければならない」〔レーニン 1991: 440-441〕。「もしも反動派の支配にそれらの国がおかれるようになったとしても、それぞれの国の進路は、その国の国民自身が決定するものである。ブルジョワジーが支配を握れば、勤労人民は、自分たちを解放するために問題となるのは、資本主義であることをますます理解するようになる」〔レーニン 1991: 457-458; 佐々木 他 1982: 31-32〕。

「ベネズエラのことはベネズエラ国民に」と主張することは、ベネズエラの主権、民族自決権の擁護、内政干渉反対、話合いによる対話と平和の追求を意味するものである。

（3）多岐にわたる米国の制裁

米国政府は、ベネズエラに対しては体制転換を図るため軍事的な解決とともに、「戦争の代替手段」と考える経済制裁を執拗に科している［杉田 2020］。制裁は、銀行、軍・警察関係者、石油タンカー、国会議員幹部、航空会社、同パイロット、石油大手ロスネフチ・トレーディング及び経営者、インドの石油輸入者、イランの民間航空会社マハン航空、同社と取引する中国の中国企業、米企業のシェブロン社など、実に多岐にわたっている。そこから、ベネズエラ側は、制裁は最早個別の案件による制裁の枠を越え、ベネズエラ経済全体に対する経済封鎖、経済戦争と見なしている。

6. 外国軍事介入の可能性

繰り返される軍事介入の脅迫

二〇一九年に入り、パルミエリ（Francisco Palmieri）米国務省西半球担当主席副次官補、ボルトン大統領補佐官、ペンス米副大統領、トランプ大統領は、軍事介入の可能性を繰り返した。

グアイドーは、「米国の軍事介入は、論議をよぶことだが、米国の人道支援を受けるため、排除せず」と早くから述べている［AFP 2019］。また同氏は、四月三〇日クーデターが失敗した後、米国が「必要なら米大統領はやる用意がある」（ポンペオ国務長官）と公言する軍事介入について、「もし必要なら認めるだろう」と容認する立場を示した。しかし、軍事介入によってマドゥロ政権が倒れることはあっても、ベネズエラ国民の九〇％以上は、米国の軍事介入に反対しているのである［CO 2019］。

一九年二月二六日、米国の要請で国連安保理が一月二六日についで二回目に開催された。大多数の国々は、軍事介入に反対。南アフリカ、クウェート、インドネシアは、対話による解決を主張した。ペルーも、ベネズエラ国民により平和的に解決されるべきと主張し、ドミニカ、フランス代表も軍事介入に反対。ロシア、中国、赤道ギニアは、内政干渉にも軍事介入にも反対した。世界の大勢は、米国や、米国と協調したコロンビア、ブラジルの軍事介入に反対なのである［TS 2019a］。

八月四日、米下院の外交委員会公聴会で、エリオット・エンゲル（Eliot Engel）委員長は、「米国の軍事介入は支持しないが、トランプ大統領の度重なる軍事介入が一つの選択肢であるという発言を憂慮している」と述べた［UN 2020c］。第二次世界大戦後のラテンアメリカにおけるアメリカの干渉は、二〇一八年まで二二件、内、米軍の直接侵攻三件、傭兵による侵攻三件がある。こうした歴史からすれば、米国の軍事介入の可能性は低くはない。

しかし、米国の政策は、昨年四月三〇日のロペス、グアイドー派のクーデター未遂事件、六月のクーデター未遂事件、二〇二〇年五月のコロンビアからの民間契約軍（傭兵）侵攻事件などに見られるように、膨大な戦争経費がかかる米国の直接軍事介入よりも、野党によるクーデターへの支援、コロンビア政府との協力により、民間契約軍（傭兵）をコロンビア国境から侵入させ、長期間政府軍を攻撃し、経済制裁とともにベネズエラ政府を疲弊させようとする、ニカラグア型の作戦ではないだろうかと筆者は考えている。八〇年代米国に支援された反革命傭兵（コントラ）が、ホンジュラスとコスタリカからニカラグアに侵攻し、サンディニスタ政府は、国費の六〇%を戦費につぎ込まざるをえなくなり、経済が疲弊して、コントラと停戦せざるをえなかったことがあるのである。

7．世論調査は何を示しているか

(1) 変わらぬ政党支持の傾向

マドゥロ政権が、どれだけ国民に支持されているかについて、いろいろな意見がある。「グアイドー氏の暫定大統領就任を支持する人々が約八割」というアジア経済研究所の坂口安紀氏の数字は、反政府派の調査会社Hercon Consultores社のものと思われる。他の調査を見ると、独立系調査会社、インテルラセス社は、政府寄りの調査会社だが、近年選挙予測では結果に近い数字を報道しており、極端な誤差はなく、一定の信頼性がある。これを報道した新聞社は、ベネズエラの中道右派『グロボビシオン』である［GV 2019b］。

インテルラセス世論調査は、二〇一九年一月七日〜一〇日、一五八〇人を調査したものである。三一%がベネズエラ社会主義統一党（Partido Socialista Unido de Venezuela）を支持、一%が大祖国連合（Gran Polo Patriótico, GPP）で、与党支持合計は三二%。一方、野党は、民主行動党（AD）三%、正義第一党一%、大衆意志党六%、民主団結会議（MUD）一%、キリスト教社会党（COPEI）%、進歩的前進党（Avanzada Progresista）一%、その他野党一%で、野党合計は一六%である。このことから、与党支持派は三二%、野党支持派は一六%、無党派は五二%となる［**図7**］。

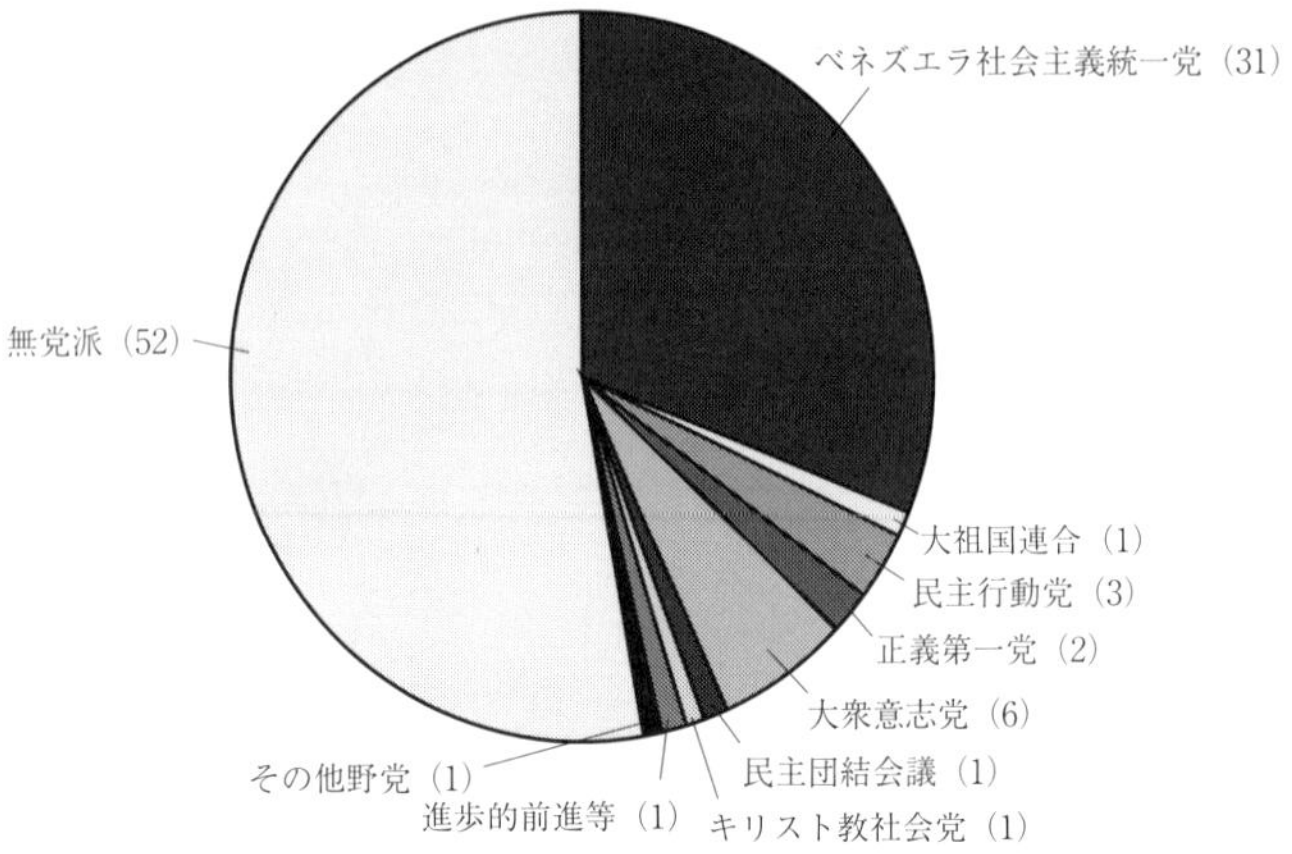

図７　ベネズエラ政党支持（2019年１月、％）
出所：インテルラセス2019年１月７日

大統領選挙、県知事選挙、県議会、基礎行政府選挙、世論調査などをみても、チャベス派は五五～六五％、反チャベス派は四五～三五％の支持を得ている。毎年のように選挙が行われるベネズエラでは、その回毎に支持者の信念が固まり、固定化しているのが特徴である。

一九年一二月、『グロボビシオン』紙は、同年の二月にはグアイドーへの期待度は、六一％あったが、今は二五％に急落し、一貫して下落傾向にあると報じている。理由は、グアイドーの移行期政府がマドゥロの違法の大統領居座りを終わらせることができていないこと、約束を実行していないことが指摘されている。

さらに、一九年一二月四日、保守系[1]の世論調査会社メガアナリシスは、次のような世論調査結果を発表している。八五・三％がグアイドー議長を支持せず、支持しているのはわずかに一〇・三％であった［**図8**］

1　ベネズエラでは、調査会社がチャベス派か反チャベス派かにより、調査結果がかなり異なるので、注意して扱う必要がある。

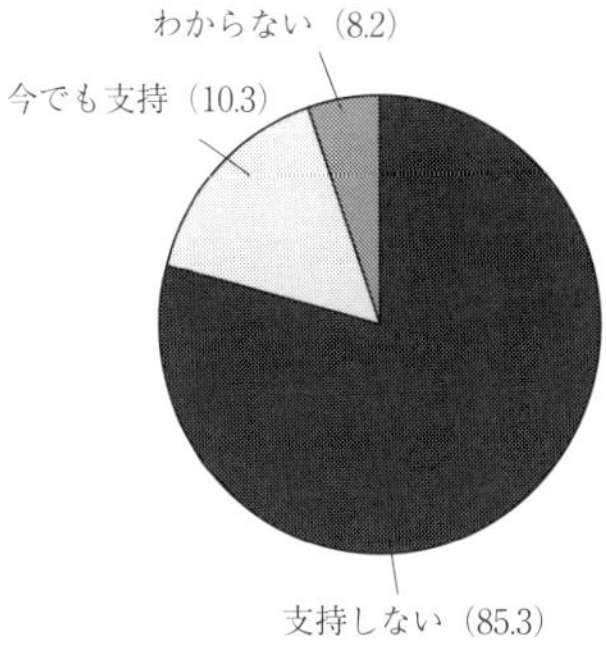

図 9　グアイドー氏支持状況（2019 年 12 月、%）

出所：Megaanalisis, 2019 年 12 月 4 日より筆者作成。

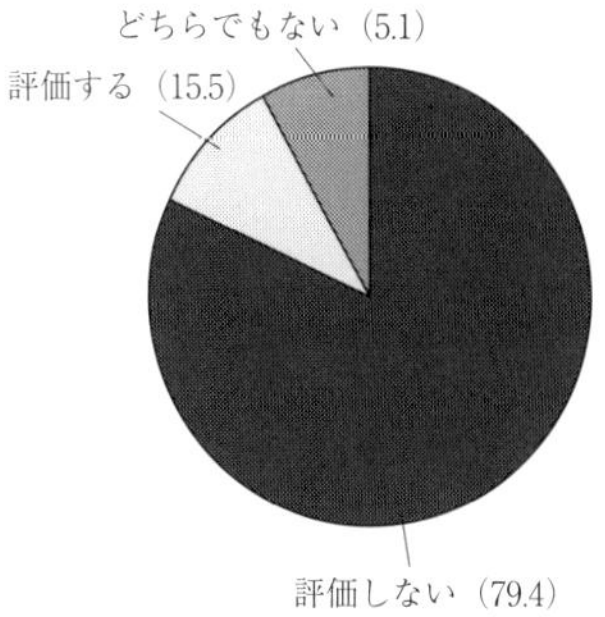

図 8　グアイドー氏をどう評価するか（2020 年 5 月、%）

出所：ICR, 2020 年 6 月 18 日より筆者作成。

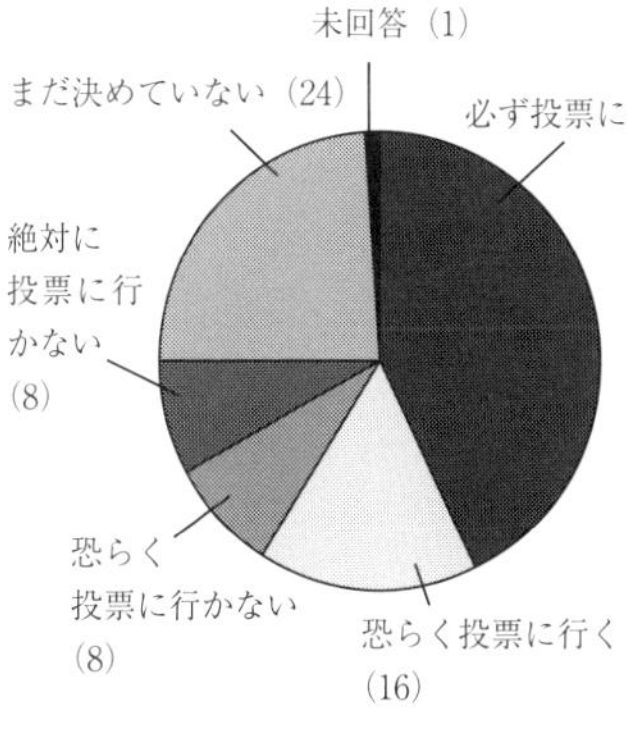

図 11　国会議員選挙に対する態度（%）

出所：ICS から筆者作成。

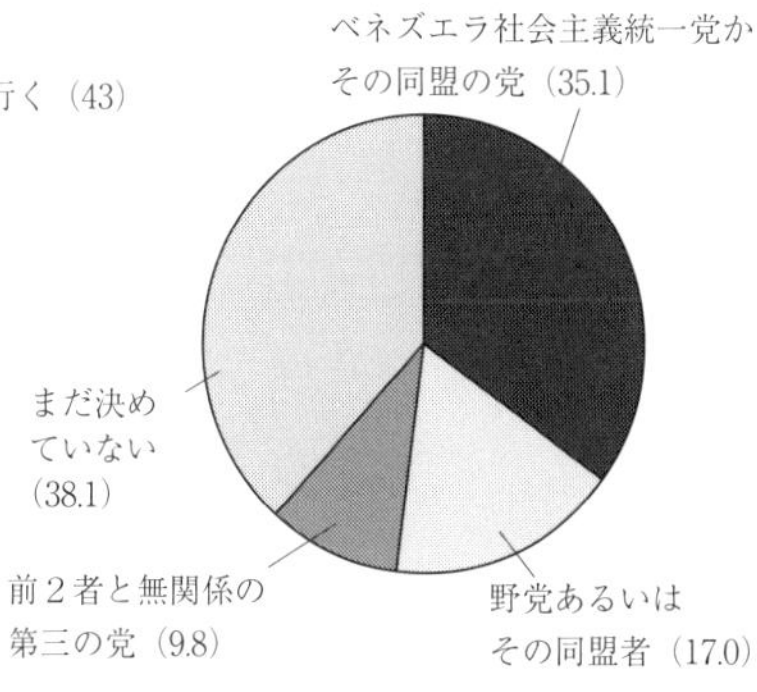

図 10　今投票するとすればどの党に投票するか（%）

出所：ICS から筆者作成。

［図9］。

さらに、二〇二〇年五月、やや政府寄りの調査会社インターナショナル・コンサルティング・サービス（ICS）の世論調査でも、七九・四％がグアイドー国会議員を評価せず、評価するのはわずか一五・五％で、メガアナリシスと大差がなかった。

政党の支持率では、与党が三五・一％、野党が一七・〇％、第三党が九・八％であった［図10］。

（2）二〇二〇年一二月の国会議員選挙

二〇年六月二八日、同年一二月に予定されている国会議員選挙については、チャベス派から転向し、コロンビアに亡命してマドゥロ政権を厳しく批判してきたルイサ・オルテガ（Luisa Ortega）元検事総長は、「反対派が選挙を忌避したのは誤りであった。野党は、次期の国会議員選挙に参加すべきだ」と述べた。現時点で国民の五九％は、国会議員選挙に行くと回答しており、投票に行かないという人は一六％にしか過ぎない［図11］。

つまり、六〇％近い人々が投票に行く意向を示しており、未だ決めていない人々の一部も加えると七〇％程度の人々が、次期の国会議員選挙で投票する意向を示している。この市民の意向を、G-4の一部の選挙否定派も無視できなくなることであろう。

（3）グアイドー議員の人気、地に落ちる

一九年一二月三日付の『ロイター通信』は、「焦点：ベネズエラ野党指導者（グアイドー）に失速

懸念、大統領打倒に汚職の逆風。グアイドー氏の『旬』は過ぎたのではないかとの疑念も広がっている」という記事を配信した。さらに同年一二月二八日、ベネズエラの中道保守の新聞『グロボビシオン』紙は、「腐敗、スキャンダル、傲慢さにより、ファン・グアイドーの星は消えた」と報じた。

さらに二〇年七月、『グロボビシオン』紙は、Datanalisisという保守系の調査会社の調査結果を「グアイドーの人気、地に落ちる」と題して、報道した。ダータアナリシスは、野党が現状を変更できると思っている者は、一九％しかいないと発表している。

このように、グアイドーや野党への支持は急落し、国民は与野党の話し合いによる自主的な経済再建、新たな国会選挙を望んでいるのである。『グロボビシオン』紙や、世論調査に見られる野党の低迷の原因を、キューバの治安・諜報部による監視体制、拷問という立論に依拠するのは、こうした世論調査をともかく信じたくないという狂信的な信念であろう。

8．国際的仲介による対話

（1）国際連絡調整グループ（IGC）の仲介進展せず

一九年二月六日、メキシコとウルグアイ政府（当時左派政権）は、「政治的危機に対する総合的かつ長期的な措置を探求する」ため、無条件の四段階にわたる交渉の日程を提案した。

この「モンテビデオ枠組み」提案には、大統領選挙の早期実施は内政干渉になるとして含まれていない。翌日、国際連絡調整グループ（ＩＧＣ）一四ヶ国会議が開催され、最終宣言で、民主主義、法治国家の復活、国会の尊重、基本的自由、人権の尊重、早期の自由、透明、信頼できる選挙の実施、継続的な人道支援の受け入れ、そのための国連難民高等弁務官事務所及び国際移民機関よりの使節団の派遣、三月に閣僚級の会議の開催などを記載した最終宣言を採択した。しかし、ＩＧＣは、マドゥロ政権への批判が一面的で、仲介の役割は果たせないでいる。

一方、与野党は、一九年三月よりノルウェー政府の仲介で対話をする交渉をノルウェーで秘密裏に行い［TS 2019b］、五月半ばよりノルウェーで交渉が行われている。交渉に、マドゥロ政権は、対立を平和的に解決することに積極的だが、グアイドー議長は国際世論を気にしてか、交渉に応じる態度は示すものの、交渉は期待していないと述べた［Reuters 2019a］。この背景には、米国が交渉に反対で、国務省が「暴君による監視の下では自由選挙はできない。米国はニコラス・マドゥロとの交渉はただ退陣の条件だけだと考える」という声明を二五日に発表していたこと、また同日ペンス副大統領がＣＮＮとのインタビューで、「ベネズエラでは対話の時期はすでに終わり、行動の時期で、マドゥロが退陣する時期が来た」と述べていた事実がある。二九日、オスロでの交渉が終了した後、マドゥロ政権は、対話が行われたことは重要で、今後もノルウェー政府の仲介のもとで平和と民主主義のために協議を続ける意思を発表した。一方グアイドー議長は声明を発表し、協議では、マドゥロの違憲権限のはく奪、暫定政府、自由選挙の手順を再度述べ、協議は合意なく終了した」と述べた。

このオスロ会議開催の前の五月初め、グアイドー派はクレイグ・ファラー（Craig Faller）米南方軍司令官に書簡を送り、米軍の軍事介入を要請し、ファラー司令官は大統領の命令があれば実行する準備ができていると回答している［Venezuela Analysis 2019］。

グアイドーは交渉期間中に、四月三〇日にクーデターを起こし、それが失敗すれば米軍の軍事介入を要請するなど、真剣にベネズエラの平和と民主主義を追求している態度には程遠いと言わざるをえない。

(2) 前提条件付けず、相互尊重の対話必要

一九年九月、グアイドーが、隣国ガイアナとの国境紛争地、エセキボ[2]をイギリスに引き渡すと述べたことから、与党はその発言を取り下げるよう要求し、九月半ばには対話はとん挫した。

二〇年七月、ノルウェーの和平調停団がカラカスに到着し、政府は歓迎するも、いつものようにグアイドー一派はマドゥロとの対話を拒否している。

一方、その後、政府は、穏健野党五党の社会主義運動党(MAS)、進歩的前進党、ベネズエラ解決党(Soluciones para Venezuela)、市民変革運動党(Cambiemos Movimiento Ciudadano)、赤旗党(Bandera Roja)との円卓会議において、①社会主義統一党(PSUV)の議会勢力及び同盟勢力が国民議会(AN)に参加する、②全国選挙評議会(CNE)の新たな選出及び投票プロセスに取り組む、③ベネズエラへの経済制裁の即刻解除を要求するなどで合意して、一部の野党との対話が進んでいる。②については、この合意に基づき、二〇年七月から人選が進み、一二月六日の国会議員選挙に向かって準備が進められている。

2　近年大量の原油の埋蔵量が発見された地域。ベネズエラは、国連に調停を依頼。

9．真の解決を求めて

マスメディアも、グアイドー一派の数々の汚職やスキャンダル、インフレの鎮静化、石油生産の回復基調などから、真実の一端を報道し始めた。一九年一二月には、ベネズエラの中道保守系の『グロボビシオン』紙は、「腐敗、スキャンダル、傲慢さにより、ファン・グアイドーの星は消えた」と批判した。

二〇年七月には、共に野党の過激派として、マドゥロ政権を攻撃してきた、マリア・コリーナ（María Corina）、アントニオ・レデスマ（Antonio Ledezma）、カルデロン・ベルティ（Calderón Berti）、カルロス・オルテガ（Carlos Ortega）、ディエゴ・アリア（Diego Arria）などの有力者が、グアイドーの財政活動に不審があるとして、財政報告の提出を要求したが、グアイドーは答えず、内紛となっている。正義第一党のエンリケ・カプリーレス氏も、大衆意志党のロペス党首、グアイドー議員の過激な政策は、反政府活動を最悪のものにしたと批判している〔GV 2020: UN 2020b〕。

八月二日、野党の一部、二七政党が共同声明で一二月六日の国会議員選挙は自由がなく不正選挙ゆえ参加しないと表明した。これは、前月二八日のエリオット・エイブラムス（Elliott Abrams）ベネズエラ問題担当特使がこの選挙は最悪のもので支持しないという記者会見での発表を受けたものである〔US Department of State 2020〕。しかし、主要四野党の正義第一党、民主行動党、新時代党の中は意見が分かれており、選挙に参加することを表明している幹部もいる。

国民の八割近くは、与野党の話し合い、与党と経済界の協力による自主的な経済再建、新たな国会選挙をのぞんでいることは、世論調査からも明白である。

現在、ベネズエラの反政府派は、①米国の国務省にグアイドーの支持を止め、別な指導者を立ててほしいと願うもの、②マドゥロと和解交渉をするもの、③国会議員選挙に参加するもの、④マドゥロ政権打倒に固執するものと四種類の態度に分かれている。昨年から野党の民主行動党、新時代党、正義第一党、キリスト教民主党の国会議員の中にも、政府と話しあって議論を交わし、経済を再建しようと動きが出ている。二〇二〇年一月の国家の新執行部の選出過程には、その動きがはっきり見られた。その中でグアイドー支持の国会議員は、議員総数一六七人のうち約七〇名程度で少数派であった。米国やイギリスが、グアイドー一派の過激派に資金援助を行わず、ベネズエラ人同士の対話によって今後の解決策が探求されることが期待される。

【資料】ベネズエラ政党グループ、政党の政治的傾向

ベネズエラの政党は、二〇二〇年一二月六日の国家議員選挙を巡って、次の四つのグループに分かれている。決してすべての野党が国会議員選挙に反対し、与党が強引に実施するという単純な構図ではない。野党でも国会議員選挙を巡り、二派に分裂している政党もある。グループ構成の基準は、(i)米国の制裁を認めるか(対米自立か)、(ii)立憲主義に基づき唯一の国会に参加するか、(iii)チャベス主義に賛成か、(iv)与野党対話に参加するか、というものである。

①大祖国戦線 Gran Polo Patriótico(GPP):チャベス派政党。ベネズエラ社会主義統一党他一二

政党

②民主同盟 Alianza Democrática（ＡＰ）：二〇一七年度より与野党対話を進めてきた野党勢力。キリスト教社会党、民主行動党、変革希望党、進歩的前進党、市民変革運動党の五党が参加

③ベネズエラ団結同盟 Alianza Venezuela Unida（ＡＶＵ）：二〇二〇年一月の国会議長選挙でグアイドー議員の選出に反対した議員グループ中心。ルイス・パルラ（正義第一党）国会議長、ホセ・ゴヨ・ノリエガ（正義第一党）国会第二副議長、ネガル・モラーレス（民主行動党）国会書記、コンラド・ペレス（正義第一党）など

④民主団結会議ＭＵＤ：野党で、キリスト教社会党、民主行動党、大衆意志党、正義第一党、新時代党の中で選挙に参加しないグループ

（国会議席数は、二〇一五年の選挙による）

ベネズエラ政党グループ、政党の政治的傾向

与野党	国会選挙	政党名、議席： 国会 / 県知事 / 基礎行政区長	
与党	参加	**与党：大祖国戦線（GPP）** 13 政党　2015 年国会　49/19/305	グループ、 指導者名
与党	参加	ベネズエラ社会主義統一党（PSUV）2008 43/19/303	GPP　ニコラス・マドゥロ
		われわれはベネズエラ（Somos Venezuela）2018 0/0/0	GPP
		ベネズエラ共産党（PCV）1931 2/0/1	独自立候補擁立
		皆のための祖国（PPT）1997 4/0/2	GPP
		革命行動運動実施党（Tupamaros）1979 4/0/0	GPP
		ベネズエラ国民団結（UPV）2008 0/0/0	GPP
		変革のための同盟（APC）2013 2/0/1	GPP
		真正革命組織（ORA）1988 0/0/0	GPP
		ベネズエラ革命潮流（CRV）2000 0/0/0	GPP
		われわれはベネズエラ人党（PSV）2008 0/0/0	GPP
		共同体変革ネット（REDES）2008 0/0/0	GPP
		国民選挙運動党（MEP）1967 2/0/0	GPP
		社会民主主義党 (PODEMOS) 2002 1/0/0	GPP
野党		**野党**	
野党		変革希望党（MEC）2018 0/0/0	AP ハビエル・ベルトゥシ
		社会主義運動（MAS）1971 0/0/1	フェリペ・ムヒカ、セグンド・メネンデス

野党		進歩的前進党（AP）2012 1/0/0	AP エンリー・ファルコン、ルイス・ロメロ
		ベネズエラ解決党（SPV）2018 0/0/0	クラウディオ・フェルミン、ラファエル・マリン
		市民変革運動党（CMC）2018 5/0/6	AP ティモテオ・サンブラーノ
		赤旗党（BR）1970 0/0/0 参加・不参加両派あり	ペドロ・ベリス、ガブリエル・プエルタ
	参加・不参加	民主団結会議（MUD）6 党 +5 党 2015 年国会　86/167 +3（先住民）	参加・不参加両方存在
	参加 不参加	独立選挙政党（キリスト教社会党 COPEI）1946 0/0/14 MUD 一部不参加	AP フアン・カルロス・アルバラード書記長、フランクリン・ドゥアルテ国会第一副議長など
	不参加 参加	民主行動党（AD）1941 25/4/9 MUD ネガル・モラーレス国会書記　ライディ・ゴメス	エンリ・ラモス・アジャップ AVN 任命代表ベルナベ・グティエレス議員など
	不参加 不参加 参加	正義第一党（PJ）2000 33/0/0 MUD エンリケ・カプリレス AVU ルイス・パルラ国会議長、コンラド・ペレスなど	フリオ・ボルヘス カプリレス、グアイドーを批判 AVU 任命代表ホセ・ブリト議員など
	不参加 参加	大衆意志党（VP）2011　レオポルド・ロペス 18/0/4 MUD	グアイドー前国会議長 AVU 任命代表、国会第二副議長ホセ・グレゴリオ・ノリエガなど

	不参加 参加	新時代党（UNT）2006 16/0/4 MUD スターリン・ゴンサーレスなど	AVU 9月2日選挙参加のため離党
野党	不参加	急進大義党（CR）1971 2/0/0 MUD	
	不参加 参加	明瞭会計党（CC）2008 1/0/1	
	不参加 参加	自由勢力党（FL）2003 0/0/0	
	不参加	ベネズエラ発展党（MOVERSE）2012 0/0/0	
	不参加	ベネズエラ計画党（PRVZL）1998 2/0/0	
	不参加	ベネズエラ団結党（UNPARVE）2008 0/0/0	

【主要参考文献】

小阪裕城（２０２０）「国際機構と人権概念」、『歴史評論』２０２０年８月号通巻８４４号。

小松崎榮（２０１９）「強権的抑圧も軍事介入もノー、国民の手で平和的な危機打開を」『日本ＡＡＬＡニュース・レター』２０１９年３月14日、http://www.japan-aala.org/aala-news/

坂口安紀（２０１９）「ベネズエラ――破たんする経済と『二人の大統領』」『ＩＤＥニュース』２０１９年３月号。

――（２０１９）「ふたりの大統領の間で揺れるベネズエラ――これは「終わりの始まり」なのか?」『アジア経済研究所ラテンアメリカ・レポート』36巻（２０１９）１号。

佐々木一司・聴涛弘（１９８２）『社会主義と民族自決権』新日本出版社。

新藤通弘（２０１９）「21世紀のラテンアメリカ・カリブ海における進歩と反動の弁証法」『季論21』２０１９年秋季号通巻第46号。

――（２０２０ａ）「ベネズエラ、何が問題か」『経済科学通信』２０２０年２号、通巻第１５０号。

――（２０２０ｂ）「ベネズエラ大統領誘拐未遂事件」『世界』２０２０年７月号。

杉田弘毅（２０２０）『アメリカの制裁外交』岩波新書。

杉原泰雄（１９９５）『人権の歴史』岩波書店。

松浦健太郎（２０１７）「経済混乱を脱出できるか」『ジェトロセンサー』２０１７年８月号。

松島良尚（２０１９）「ベネズエラ問題をどう見るか——党声明『弾圧やめ人権と民主主義の回復を』にてらして」『前衛』２０１９年５月号。

松井芳郎他（２００７）『国際法（第５版）』有斐閣。

松井芳郎（２０１８）『武力行使禁止原則の歴史と現状』日本評論社。

レーニン（１９９１）「民族自決権について」全集⑳、大月書店。

『朝日新聞』、『日本経済新聞』、『毎日新聞』、『しんぶん「赤旗」』、『時事通信』など。

Bolton, John (2020), *The Room where it happened: A White House Memoir*, Simon & Schuster, New York.

Ellner, Steve (ed.) (2020), *Latin America's Pink Tide: Breakthroughs and Shortcomings*, Rowman & Littlefield, Boulder, 2020.

〈新聞・雑誌：すべて電子版〉
CO: *Correo del Orinoco*
UN: *Últimas Noticias*
GV: *Globovisión*
EU: *El Universal*
ICS: *International Consulting Services*
TS: *Telesur*
NYT: *The New York Times*
WP: *The Washington Post*
WSJ: *The Wall Street Journal*
BBC, AFP, EFE, HispanTV, Sputnik, Reuters, CNN, France 24, Expansión datosmacro, Venezuela Analysis, DW, Axios, Reuters

*特記していない場合は、最終アクセスは二〇二一年二月二八日とする。

AFP (2019), Feb. 8, 2019.
https://www.france24.com/en/20190208-venezuelas-guaido-wont-rule-out- authorizing-us-intervention

Axios (2020), June 21, 2020.
https://www.axios.com/trump-venezuela-guaido-maduro-ea665367-b088- 4900-8d73-c8fb50d96845.html

BBC (2020), May 7, 2020.
https://www.bbc.com/news/world-latin-america-52568475

CO (2019), 21 de febrero de 2019.
http://www.correodelorinoco.gob.ve/presidente-maduro-mas-de-90-de-los-venezolanos-rechaza-amenazas-de-agresion-militar-de-eeuu/

DW (2019), 26 de junio de 2019.
https://www.dw.com/es/gobierno-venezolano-asegura-haber-frustrado-un-golpe-de-estado/a-49368852

EFE (2017), 18 de septiembre de 2017.
https://www.efe.com/efe/usa/america/maduro-agradece-a-trump-el-apoyo-de-ee-uu-al-intento-dialogo-con-la-oposicion/50000103-3381882

EFE France 24 (2019), 26 de junio de 2019.
https://www.france24.com/es/20190627-venezuela-gobierno-maduro-golpe-estado

El Nuevo Heraldo (2019), 31 de enero de 2019.
https://www.elnuevoherald.com/noticias/mundo/america-latina/venezuela-es/article225368405.html

Expansión datos macro,
https://datosmacro.expansion.com/paises/venezuela

EU (2019), 18 de marzo de 2019.
https://www.eluniversal.com/politica/35727/diosdado-cabello-alerta-nuevos-ataques-a-los-servicios-publicos

EU (2020), 6 de enero de 2020.

https://www.eluniversal.com/politica/58901/an-ratifico-a-juan-guaido-como-presidente-para-el-periodo-20202021-con-cien-votos
Granma (2020), 25 de abril de 2020.
http://www.granma.cu/informacion-minsap/2020-04-26/ministerio-de-salud-publica-cuba-suma-32-muestras-positivas-para-un-total-1369-casos-de-covid-19
GV (2019a), 24 de enero de 2019.
https://www.globovision.com/article/felipe-mujica-totalidad-de-la-an-no-comparte-juramentacion-de-guaido
GV (2019b), 3 de febrero de 2019.
https://globovision.com/article/hinterlaces-psuv-es-el-partido-de-mayor-preferencia-entre-los-venezolanos
GV (2019c), 4 de febrero de 2019.
https://globovision.com/article/juan-guaido-no-hay-posibilidad-de-una-guerra-civil-en-venezuela
GV (2019d), 10 de febrero de 2019.
https://globovision.com/article/hinterlaces-57-reconoce-legitimidad-del-presidente-nicolas-maduro
GV (2019e), 10 de febrero de 2019.
https://globovision.com/article/economia-venezuela-ha-perdido-350-000-millones-de-dolares
GV (2019f), 23 de febrero de 2019.
https://globovision.com/article/hinterlaces-ubico-en-296-14-la-inflacion-en-el-costo-de-la-canasta-basica
GV (2020), 9 de julio de 2020.
https://www.globovision.com/article/maria-corina-machado-antonio-ledezma-calderon-berti-carlos-ortega-y-diego-arria-exigen-a-guaido-rendir-cuentas
HispanTV (2018), 7 de febrero de 2018.
https://www.hispantv.com/noticias/venezuela/367834/oposicion-firma-acuerdo-gobierno-maduro
MINSAP (2020), 26 de abril de 2020.

https://covid19.patria.org.ve/estadisticas-venezuela/
Reuters (2018), Oct. 9, 2018.
https://www.reuters.com/article/venezuela-economy/imf-sees-venezuela-inflation-at-10-million-percent-in-2019-idINKCN1MJ1YX
Reuters (2019a), May 26, 2019.
https://www.reuters.com/article/us-venezuela-politics/venezuelas-opposition-leader-guaido-plays-down-prospects-for-oslo-mediation-idUSKCN1SW0ZH
Reuters (2019b), Aug. 22, 2019.
https://www.reuters.com/investigates/special-report/venezuela-cuba-military-es/
Sputnik (2019), 27 de marzo de 2019.
https://mundo.sputniknews.com/20190327/guaido-viola-constitucion-venezolana-1086333332.html
TS (2018a), 7 de febrero de 2018.
https://wp.telesurtv.net/news/venezuela-nicolas-maduro-firma-acuerdo-paz-oposicion-dialogo-20180207-0048.html
TS (2018b), 19 de septiembre de 2018.
https://www.telesurtv.net/news/migrantes-venezolanos-a-pie-caminando-20180910-0019.html
TS (2019a), 26 de febrero de 2019.
https://www.telesurtv.net/news/consejo-de-seguridad-onu-sesion-venezuela-eeuu-20190226-0026.html
TS (2019b), 29 de mayo de 2019.
https://www.telesurtv.net/news/venezuela-dialogo-noruega-segunda-jornada-oposicion-nicolas-maduro-20190529-0039.html
TS (2020), 6 de mayo de 2020.
https://www.telesurtv.net/news/venezuela-claves-incursion-armada-naval-operacion-gedeon-20200503-0044.html
UN (2019), 22 de agosto de 2019.

https://ultimasnoticias.com.ve/etiqueta/fmi/page/6/
UN (2020a), 22 de mayo de 2020.
https://ultimasnoticias.com.ve/noticias/politica/denman-juan-guaido-desoriento-la-operacion/
UN (2020b), 1 de agosto de 2020.
https://ultimasnoticias.com.ve/noticias/politica/capriles-dice-que-oposicion-esta-destruida-y-pide-mover-el-tablero/
UN (2020c), 4 de agosto de 2020.
https://ultimasnoticias.com.ve/noticias/politica/congreso-de-eeuu-no-apoyara-invasion-al-pais/
US Department of State (2020), July 28, 2020.
https://www.state.gov/404
（現在修復中で、入ることが不可能。原文ＤＬしたものを筆者所有）
Venezuela Analysis (2019), May 13, 2019.
https://venezuelanalysis.com/news/14486
WP (2019), Jun 24, 2019.
https://www.washingtonpost.com/world/the_americas/maduros-ex-spy-chief-lands-in-us-armed-with-allegations-against-venezuelan-government/2019/06/24/b20ad508-9477-11e9-956a-88c291ab5c38_story.html
WSJ (2019) Jan.25, 2019.
https://www.wsj.com/articles/a-call-from-pence-helped-set-an-uncertain-new-course-in-venezuela-11548430259
WSJ (2020), June 26, 2020.
https://www.wsj.com/articles/venezuelan-opposition-guru-led-planning-to-topple-maduro-11593163801

第5章　ベネズエラの民主化を阻む国際的同調圧力

山崎圭一

1．はじめに

（1）本章の目的

ベネズエラは長らく特権階級が支配する国で、一九八〇年代半ば以降は新自由主義の政策路線に傾斜して貧富格差を拡大させた国であったが、一九九九年二月にウゴ・チャベス（Hugo Rafael Chávez Frías）政権が発足して、格差是正と民主化が始まった。この国での「民主化」という過程は、多くの軋轢《あつれき》と混乱をともなった。なぜなら民主化への抵抗勢力が内外に存在するからである。チャベス政権は、社会主義をめざす意志を「ボリーバル革命」「二一世紀の社会主義」といった言葉で表現した。これは政権発足の数年後に使い始めた用語であった。「社会主義」といっても、実際には、複数政党制を維持した資本主義経済の政府で、旧来の特権層（富裕層、大企業といった独占資本）は健在であったし、ニコラス・マドゥロ（Nicolás Maduro Moros）政権にかわって以後の現在も同様である。反対派の諸勢力は、労働者や先住民など社会的弱者の運動に対抗する力を駆使し、日々この「左派」政権を打倒しようとしてきた。政治家については、野党（「右派」を含む諸派で、現在二七党）が今も自由に政権批判を繰り返している。こうした、政権に対する野党の抵抗や批判は、複数政党制の国においては、通常である。

しかし通常を逸脱《いつだつ》した異常が認められるのである。それは、米国がオバマ（Barack Obama）政権時代から、反チャベスの政治勢力の一部を応援し、軍事行動を含む内政干渉を繰り返し、失敗してきたという事実である。このために事態がより複雑化してきた。たとえば二〇〇二年四月一〇日には米国CIAが関与したチャベス政権に対するクーデター事件が発生したが、二日間で失敗に終わっている。二〇一九年一月には、野党の大衆意志党（小規模政党）に所属するフアン・グアイドー（Juan Gerardo Guaidó Márquez）国会議長が、野党内部の合意がないまま突然暫定大統領への就任を宣言したが、これをすぐさま米国と多くの同盟国が承認した（ただし全世界では不支持が多い）。以後グアイドー氏を支援する形で米国は政権転覆の試みを繰り返したが、すべて失敗した。こうした状況を、本章では「左派」政権潰しの巨大なマシン（仕組み）が機動していると理解する。これによって、べネズエラは未曾有の経済危機に陥ったのである。

本章の目的は、現在進行中のベネズエラ危機が日本にとってどのような意味と意義を有するかを考察することである。結論を先取りしておけば、日本社会をよくするための改革にとって肯定的な意味を有するといえる。本章では、〈この危機の主因が何であるか〉という論点よりも、〈ベネズエラが「左派」潰しのマシンの攻撃に耐え抜き、むしろ覇権国の米国を窮地に追い込みつつあることの意味を日本人として考える〉という点に、重点を置いている。この考察は、日本が対米追随の姿勢からいかに脱して自主的な成長軌道に回帰するかという論点に、直接的かつ徹底的に重要である。

（2）「マシン」の構成要素

「左派」政権潰しのマシンの構成要素は、米国政府、その同盟国、それに同調する多くの先進国および途上国政府、国連人権高等弁務官事務所、米州人権委員会、人権擁護団体（NPO）、世界的通信社、各国マスメディア（テレビ、新聞、週刊誌）などである。特定の人物や法人が全体に君臨して、マシンを操作しているという意味ではない。それでは陰謀説に聞こえてしまうが、陰謀説を唱える意図は筆者にはない。なぜなら現代社会は複雑すぎて、不測の展開が生じやすく、陰謀の成立は不可能に近いからである。したがって、マシンの構成者が定期協議を開催して、「左派政権」潰しの政策調整をしているわけではない。筆者の込めた意味は、主導者としての米国政府の影響力は強いが、あくまで「結果的に」各参加者の動きが同調的で、全体がマドゥロ政権潰しの一つのマシンに「見える」という状況である。望月衣塑子らの『同調圧力』という好著があるが〔望月・前川・ファクラー 2019〕、チャベス－マドゥロ政権は悪い政府だと認識せよという国際的な「同調圧力」が生じているのである。これは弾みがついた一つの社会現象なのであって、一度動き出すと止めることは難しい。こうして、世界の多くの地域でマドゥロ政権非難の大合唱が響き渡っている。

ただしこの「左派」政権潰しに同調しない国も数多く存在していることも事実である。たとえば非同盟諸国がそうで、世界全体では、同調しない国すなわちベネズエラの擁護派が実は多数派なのであるが、その事実は一般的な報道ではあまり伝えられていない。

現在私たちが目撃していることは、現代世界において、大きなトレンド（グローバル化、新自由主義、米国の覇権の受容）とは一八〇度異なる路線を単独で追求する政権が登場すると、米国やその同盟国や、彼らに同調する国からいかに多大な攻撃を受けるかという問いへの、一つの回答である。そうした政権は異物のように認識され、排除の対象になるのである。

小阪裕城の近著「国際機構と人権理念」［小阪 2020］は、この点でたいへん参考になる。この論文で小阪は、各国の人権問題を国際問題としてあつかい、人権擁護の強い国が弱い国に圧力をかける近年の国際的動向の危険性を示唆している。著者はモナ・ユニス（Mona Younis）の批判的考察を次のように紹介している。「第一に、冷戦期のアメリカで進行した権利の分極化によって、本来不可分なはずの人権は市民的政治的人権と経済・社会権に二分され、前者が特権化されてきた。第二に、前者の市民的政治的権利を重んじる国々が祭り上げられた。その結果、たとえばキューバのヘルス・ケアは人権上の意義ある達成として認識されてこなかった。（以下省略）」［小坂 2020: 63］。この説明を読めば、ベネズエラで進められている経済・社会権の領域での進展が国際的に認識されず、市民的政治的人権のみに焦点が当てられるという偏向が、世界的傾向と整合していることがわかる。ちなみに小阪が紹介しているユニス氏は、人権問題を専門とするコンサルタントであるが、イベント企画者、研究者、大学講師、プログラム・ディレクターなど多面を有する人物である[1]。

なお前提として、本章はチャベス－マドゥロ政権の政策を賛美する目的は有さず、上谷が整理するように［上谷 2019］、民主主義指標のいくつかの劣化を事実として受け入れる。汚職・腐敗の要素も認めることができる。そもそも現代において、汚職・腐敗を含めて課題を抱えていない国は存在しない。ベネズエラも、日本を含めた世界中の国と同様に、多くの難題が山積している国である。仮に、マドゥロ政権が腐敗しているからといって、除去して親米政権に置換しても、汚職・腐敗が繰り返されることは疑いない。また経済制裁という用語について、一般報道では「制裁」が多いが、ベネズエラが犯罪をおかしたわけではないので、本章では「封鎖」と呼ぶことにする。

2．米国によるベネズエラ「攻撃」の経緯

（1）未曾有の経済危機のはじまり

ベネズエラへの米国の介入や圧力が始まる前の時代の、ベネズエラ国内の政治状況や米国との関係については、所の適確な論考に委ねるが［所 2019］、一九八〇年代の状況を簡潔にまとめると、ルシンチ（Jaime Lusinchi）政権（一九八四～八九年）下で新自由主義的な改革が本格化して、貧富格差が

1　ウェブサイトは以下：https://www.monayounis.com/

拡大し、全国的な市民の暴動が起こっていた。それをペレス（Carlos Andrés Pérez Rodríguez）第二次政権（一九八九〜九三年）が武力で鎮圧した。こうした中、一九九九年に民主主義的な選挙で、貧者を代表するウゴ・チャベス（Hugo Chávez）が当選し大統領に就任したのであった。チャベス政権は貧者の利害を代表して富裕者の支配に挑戦する政権であったわけで、それ自体大きな枠組でみるならば、民主化促進の政権だといえる。

経済危機が深刻化し、二〇一五〜二〇年の六年間でGDPがほぼ半減する事態に至った。これはまさに経済崩壊といってよい状況で、その現状認識については異論はない。多くの否定的な報道が国際的にも日本国内でも展開したが、一例として四六〇万人もの国民が（二〇一九年時点、累積）、難民または移住者として国を脱出したという国連難民高等弁務官事務所の発表する数値が、引き合いに出されている。こうして「国家崩壊」の状態のように描かれている。

この原因として、一般的には石油価格の低下と石油資源への過度の依存という経済失政が原因だと報じられている。たしかに経済封鎖よりも先に石油価格の下落が始まったが、この経緯の解釈が分かれているのである。筆者は、経済封鎖は「傷口に塩をぬる」あるいは「火に油をそそぐ」という負の効果を発揮したとみている。封鎖がなければ、ここまでの経済崩壊には至らなかったはずである。経済失政だけでGDPが半減するとは考えにくいし、類似例が思い当たらない。この米国による経済封鎖は、多くの国際ルールに違反している。そもそも、一つの国が別の国に一方的に経済封鎖をくわえることは、国際的に認められていない。むろん貿易紛争においてWTOのルールの下での、違法なダンピングに対するセーフガードといった対抗的な関税措置はあるが、それは別問題である。どのよう

表1　米国の経済封鎖の違法性

抵触する法律やルール	採択等の年月日	条文（関連部分のみ抜粋）	説　明
国連憲章第7章第48条	1945年10月24日発効	国際の平和及び安全の維持のための安全保障理事会の決定を履行するのに必要な行動は、安全保障理事会が定めるところに従って国際連合加盟国の全部または一部によってとられる。	国連安全保障理事会のみが制裁を科す主体であり、特定の一国が他国に対して制裁を科すという行為は認められていない。
国連総会決議第2625号「国際連合憲章に従った国家間の友好関係及び協力についての国際法の原則に関する宣言」（友好関係原則宣言）	1970年10月24日	いかなる国又は国の集団も、理由のいかんを問わず、直接又は間接に他国の国内問題又は対外問題に干渉する権利を有しない。	一つの国が他国に対して、経済制裁を科す権利はない。
ジュネーヴ条約（第四条約、「戦時における文民の保護に関する1949年8月12日のジュネーヴ条約」）第33条	1953年10月21日	被保護者は、自己が行わない違反行為のために罰せられることはない。集団に科する罰及びすべての脅迫又は恐かつによる措置は、禁止する。②りゃく奪は、禁止する。③被保護者及びその財産に対する報復は、禁止する。	ベネズエラの人々は、普通に暮らしているだけであるのに、経済制裁によって事実上罰せられているが、このような状況に結果する制裁行為（集団的罰則）は、禁止されている。
米州機構憲章第4章第19条・第20条	1948年4月30日締結	第19条：いずれの国又は国の集団も、理由のいかんを問わず、直接又は間接に、他の国の国内又は対外の事項に干渉する権利を有しない。／第20条：いずれの国も、他の国の主権意思を強制し、それによって何らかの利益を得るため、経済的または政治的性質を有する強制手段を用い又は用いることを奨励してはならない。	いかなる国も他国の国内または対外的な問題に干渉する権利を有さない。

注：ジュネーヴ第四条約第33条の「被保護者」（英文は protected person）について、本章の文脈においては、ベネズエラ国民がこれに当たる。

出所：筆者作成。条文の日本語訳については、以下の通り：国連憲章については国際連合広報センターのウェブサイトより、友好関係原則宣言についてはミネソタ大学人権ライブラリー、ジュネーブ条約については日本国防衛省・自衛隊のウェブサイトより、米州機構憲章については、庄司真理子による資料（2002）より、それぞれ抜粋。

なルールに抵触するか、**表1**にまとめた。

杉田弘毅の好著『アメリカの制裁外交』によれば［杉田 2020］、経済制裁は昔からあるが、従来の貿易による制裁の効果が少なくなり（モノの取引は抜け道が多い）、近年は金融制裁に重点が移動していて、「冤罪」も多いという。とくにトランプ政権は金融制裁を乱用していると杉田は批判する。金融制裁の一つは米国市場でのドルの取引を禁止したり、米国内の金融資産を凍結することなどである。これがなぜ効くかというと、グローバル経済にベネズエラも参加しているので、多くの資産を米国の金融機関に預けているからである。またドル決済の商取引が多く、それらは一旦米国の銀行を経由するからである。まさにベネズエラは、金融制裁の被害を受けた国の一つである（ただし杉田のこの本では同国は考察の中心的対象ではない）。

こうした経済・金融封鎖だけでなく、マスメディアをつかった介入もある。新しい介入の方法は、「多方面戦略」であると所康弘が紹介しているが［所 2019］、本章でもこの見方を踏襲したい。また危機の全体については、新藤通弘、河合恒生、後藤政子、所康弘、エルナーらの詳細な研究に委ねたい［新藤 2020; 河合 2019; 後藤 2019; 所 2019; エルナー 2019］。

(2) ハイパーインフレ

経済危機の中身について、価格面についてみておこう。ハイパーインフレが生じたことは周知の通りである。二〇一九年のインフレ率について、IMFは当初一〇〇〇万%だとの法外な推計値を一八年に発表していたが、これは過大な予測値であった。最新のIMFの発表では、一八年が六万五〇〇〇％、一九年が約二万％、二〇年が約六五〇〇〇％である［ＩＭＦのウェブサイト］。

ハイパーインフレという用語は、一般的には、月間インフレ率が五〇％をこえた状況に適用されることが多い。原因は大きく三つある。第一に、中央銀行引き受けの国債の大量発行を政府が実施して、マネーの供給量を増やすことである。しかし実はこれだけでは数万％以上といった高率には至らない。そもそもマネーとは、政府が供給できる中央銀行発行の銀行券紙幣だけではなく（その割合は小さい）、民間銀行の企業向け信用創造（融資）から構成されるので、国債の大量発行だけでは簡単には増えないのである。第二に、供給力の顕著な落ち込みという事情が重なるのである。これは、景気悪化というよりも、戦争や顕著な経済失政による生産力の劇的な破壊で生じる。第三に「インフレ税」の課税という政治的意思である。ハイパーインフレ下では、国民（納税者）の資産価値は急速に目減りするが、政府の国内債務（国民への借金）も急速に目減りする。国民が資産を減らし、政府が債務を減らしたとすれば、結果的に国民が納税額を増やして国の借金返済を進めたことと同じにみえるので、これを「インフレ税」という。

歴史上有名なハイパーインフレは、第一次世界大戦後のドイツ（一九二二～二三年）、ギリシャ（一九四四年）、ハンガリー（一九四六年）、ブラジル（一九八六～九四年頃）、ユーゴスラビア（一九九四年）、ジンバブエ（二〇〇八年）などである。日本も経験済みである。商品・貨幣経済が発達していた江戸時代にもインフレ現象は生じていたが、近現代でいえば、一九四五年の敗戦直後にハイパーインフレが生じている。背景には太平洋戦争による生産設備の広範な喪失と、その結果としての供給力の顕著な低下という事情があった。今回のベネズエラのハイパーインフレについては、原油価格の下落による景気低迷と、それに重なるように生じた米国による厳しい金融封鎖を原因とする供給力の顕著な低下が、主要な要因といえる。

この危機を解決するために最も必要なことは、米国による違法で異常な経済封鎖の即時解除である。また並行して、杉田弘毅が指摘するように、国際決済の通貨を米ドル以外の通貨に切り替えたり、物々交換にするなどして、米国以外との交易を盛んにすればよい［杉田 2020］。こうして米ドルを排除し、米国そのものを世界経済から排除していくことで、米国覇権を牽制する道がみえてくる。

3．排除のメカニズム

（1）商業ジャーナリズムの加担

広範な内政干渉について、世界の商業ジャーナリズムが加担している。新聞やテレビ局は、近年SNSの台頭で読者や視聴者を失いつつある。広告やCMの撤退で経営基盤が脆弱化するなか（倒産する地方紙も多い）、取材の予算が削減され、海外の事件を正しく報道する機能を低下させていると考えられる。とくにベネズエラについては、常駐の特派員が配置されていないという報道機関が多いので、記者は数日の滞在でルポ的な記事を書いて、本社のデスクに送信する。先述したように、この国は野党と与党の激しい政治闘争（階級闘争）が日々展開している状況にある。普通に取材すれば、マドゥロ政権への多くの批判に記者は暴露されることになる。そのままそれを記事にすれば、「マドゥロ政権＝独裁」論に陥るのは、自然な成り行きといえる。商業マスメディアの多くは独占資本の一翼であり、社会主義をめざすという「左派」政権に対する偏見があるので、中立的にチャベス－マドゥロ政権の民主化を評価できないかも知れないという可能性も、私たちは考慮にいれるべきであろう。

ジャーナリズムの真実追究機能が低下あるいは麻痺することについては、今回の例以外にも数多くの前例がある。たとえばブッシュ政権と有志連合による二〇〇三年三月開始のイラク戦争に関する米国のマスメディアの報道は、政権に対して擁護的で、また誤報を多く含んでいたが、のちに反省と釈明の記事を掲載した。周知のように、米国はＣＩＡの情報からイラクが大量破壊兵器を保有すると判断してイラク侵攻を始めたが、のちにそれは完全な誤認であることが判明し、実際に大量破壊兵器は見つからなかった。『ニューヨーク・タイムズ』紙は、二〇〇四年五月に、政権に同調した記事を掲載し続けたことの誤りを公式に認めた。

日本の新聞やテレビが二〇一九～二〇年にかけての日本の政治経済をどう報じているか、考えてみよう。一言でいえば、分析力、批判力が低下し、政府発表を転載するだけの官報か広報誌に近い低水準にまで低落したといえよう。「モリ・カケ」問題にせよ、桜を見る会の問題にせよ、沖縄の辺野古の海での基地建設の問題にせよ、官房長官の記者会見で、新聞記者が真実を引き出すような批判的質問をすることは、『東京新聞』の望月衣塑子記者（社会部）をのぞいて、ほぼ皆無である（むろん独立系のジャーナリストが鋭い質問をぶつけようとしても、官邸側の司会者に拒否されるという問題が別途存在する）。経済にしても、悪化の一途であるが、「緩やかな回復基調が続く」という、事実というよりも「政治的」な日本銀行の発表を新聞は転載しているだけである。このような日本の商業新聞がベネズエラを報じる際に、マドゥロ政権を独裁政権として描くわけであるが、国内の政治や経済の報道に関して機能不全状態にある新聞とテレビが、遠いベネズエラについては例外的に正しい報道を展開しているという可能性は、高いであろうか。ベネズエラ報道についても、日本国内の報道の低水準と同じく低水準だと推察するのが、合理的ではないだろうか。

（2）米国による数々の内政干渉・軍事侵攻

ベネズエラのチャベス－マドゥロ政権の打倒には、米国が大きく関わっているが、このように米国が内政に干渉する例は、ベネズエラに始まったことではなく、夥《おびただ》しい例がある。米国は一九世紀以来世界中で内政干渉や軍事侵攻を繰り返してきた。この他国への介入主義（軍事侵略を含む）は、米国内では「モンロー主義」[2]の名のもとに正当化されることが多い。それは百数十年にわたって、現在に至るまで継続しているが、米国はむろんラテンアメリカ地域だけではなく、全世界で諸外国の内政に軍事的に介入している。戦後の主な介入だけでも、全世界で数十件に及ぶ。いくつかを挙げると、ベトナム戦争（一九六五～七五年）、コンゴ動乱への国連を巻き込んだ介入（一九六〇年）、ブラジルへの介入（一九六四年の左派政権転覆）、グアテマラへの介入（一九六六～六七年）、チリのアジェンデ左派政権の転覆（一九七三年）、グレナダ侵攻（一九八三年）、ニカラグアへの介入（反政府勢力であるコントラへの支援）（一九八一～九〇年）、アフガニスタンへの戦争（二〇〇一年）、イラク戦争（二〇〇三年）などである。ごく最近では、イランのソレイマニ司令官のドローンによる爆殺（二〇一九年）がある。このように枚挙にいとまがない。

一九六四年のブラジルの例をみておこう。同年にゴラール大統領の「左派」政権がクーデターで転覆し、軍事政権が始まったのであるが、近年ついに米国の介入の物的証拠が明らかになった。クーデター発生から四〇年後の二〇〇四年頃から、米国の国家安全保障資料館の秘密文書が公開され始めたことがきっかけである。公開資料の中に、米国による転覆工作の証拠となる、極秘会話の音声（肉声）も含まれており、会話の当事者にはケネディ大統領とジョンソン大統領が含まれていた。こうした情報をもとに映画『二一年間続いた一日』（*O Dia que Durou 21 Anos*）（が製作され、多くの一般ブラジル人が知るところとなった（二〇一三年劇場公開）。

日本も介入を受けている国の一例であることは、後述のとおりである（第4節第2項）。

これだけ内政干渉や軍事侵攻を全世界で繰り返す米国にとって、ベネズエラへの介入は「いつもの行為」といえよう。また米国の介入が、成功ではなく事態の混乱を招いているだけだという点も、「いつもの通り」である。ただし今回やや事情が異なるのは、マドゥロ政権やベネズエラの国民の踏ん張りによって、政権転覆が回避されていることで、ここから日本人が学び取るべき教訓は日本の進路を考える上できわめて大きい。

2　モンロー主義（モンロー教書）とは、第5代米国大統領ジェームズ・モンロー（James Monroe）の年次教書（一八二三年一二月）の中の外交に関する方針のことで、中南米の非植民地化およびアメリカ地域とヨーロッパの相互不干渉を提唱した。「非干渉主義」「孤立主義」としても言及される。当時中南米の植民地ではスペインやポルトガルからの独立が続いており、神聖同盟やロシアの干渉的な動きが懸念されていた。こうした動向を牽制して、独立を擁護するという立場が教書に記された。米国の対外行動は、過去も現在もモンロー主義と整合的な場合とそうでない場合が考えられる。たとえば「アメリカ・ファースト」を主張したD・トランプ政権（二〇一七～二〇年）の外交方針とその実践は、概ね同教書と整合的だったとの見方が可能である。同政権のベネズエラへの強い干渉は、この教書とは不整合にも見えるが、政権自身はモンロー主義を持ち出して中南米への干渉を正当化していた。一九世紀当時の「非干渉主義」の意味をふまえつつ、またトランプ政権の「孤立主義」の要素も認めつつ、事実上「干渉主義」にもみえる状況を具体的に理解しておく必要がある。

(3)「左派」政権排除の他の最新事例――ブラジル

ブラジルも二〇〇〇年代に労働者階級の利害を代表する大統領が一九六〇年代初頭以来久しぶりに誕生し、民主化が進められた。南米のこの大国の場合、二〇一六年に労働者の政権は一旦終焉しているが、過去約二〇年間のかなりの部分は民主化の時代であった。むろん、「労働者のブラジル」も、腐敗・汚職から自由ではなかったし、保守派を含めた連合政権であったので、新自由主義という路線からも自由ではなかった。いくつかの限界を抱えた「左派政権」であったが、貧困者や社会的弱者の利害を政治に反映させようと努力した点は、評価されるべきである。なお新しいボルソナロ(Jair Bolsonaro)大統領政権については、近田亮平の論考や拙稿を参照されたい[近田 2019; 山崎 2019; 山崎 2020]。

二〇一五年と一六年に未曾有の経済危機をむかえ(二年連続マイナス成長)、一六年にジルマ・ルセフ(Dilma Rousseff)大統領の弾劾裁判が成立した。「左派」大統領の「不正・腐敗」が市民に糾弾された形であったが、実態としては、ルセフ氏の汚職は証明されていないし、労働者党(PT: Partido de Trabalhadores)糾弾の先鋒にいたセルジオ・モロ(Sérgio Moro)判事は、裁判官としての公平さを投げ捨てて、ルセフ政権打倒に動いていたことが、その後判明している。当時、『VEJA』誌といった総合週刊誌では「モロ vs ルーラ」という見出しが躍っていて、筆者自身気に留めずに読み流していたが、今振り返ると、「vs」の片方が検事ではなく判事というのは、異常事態であった。なおルーラ(Luiz Inácio Lula da Silva)とは二〇〇三年に始まった労働者党政権の最初の大統領で、ルセフ（Dilma Rousseff）はその継承者である。

モロ判事は起訴ありきの訴訟指揮をしていた事実がその後明らかになった。すなわち同判事と検察との電話会話が二〇一九年に発表されたのである。発表は、オルタナティブなマスメディアIntercept（インターセプト）と、『ＶＥＪＡ』誌の共同調査・取材によるものであった。判事はボルソナロ大統領によって、二〇一九年一月の政権発足時に法務大臣に任命された。あたかも「報償」人事にもみえたが、その後大統領との見解の相違が生じて、二〇二〇年四月にモロ氏は法務大臣を辞任した。二〇一六〜一九年にかけての政治の激変は、「市民vs腐敗政権」というよりも、司法を巻き込んだ右派からの強力な「左派」政権潰しであったといえる。

これに米国の力はどう関与したであろうか。少し前にもどると二〇一三年頃から、ブラジルでは政権批判の抗議運動がふえ、一部が暴徒化していたが、当時これはきわめて珍しい現象であった。それ以前は二〇年間以上ブラジルでは過激な運動がなかったので、突発的であった。ブラジルの労働組合は、ストライキは多いが、組織率は徐々に低下している。未組織の労働者も多い。大学生は静かになってきて、革命思想ではなく、中には日本のアニメやコスプレに関心を寄せている人も多い。そういう中で、内外のブラジル研究者で予期した人は皆無か、少なかったと思われるが、一三年六月頃から激しい抗議運動が急に始まった。きっかけは前年、二〇一二年のリオデジャネイロ市での、バス料金のわずかな値上げであった。それは一三年ＦＩＦＡコンフェデレーションカップ開催、一四年サッカーワールドカップ（世界選手権）開催、一六年オリンピック開催への抗議と重なりあいながら、全国展開していった。ブラジルの中には、こうした「市民運動」の展開に米国による関与があると疑う向きがある。とくに労働者党政権の腐敗を追及しようとしていたモロ判事と米国のつながりが、報じられ始めている。すなわちラバ・ジャト事件（数千億円以上の規模の巨額汚職事件）の捜査について、米国ＦＢＩの研修に参加し、組織犯罪との闘いのための協約に署名したという事実である。報道の一例は、『ＶＥＪＡ』誌の二〇一九年三月一八日の記事である［VEJA 二〇一九年三月一八日］。今回の労働者政権の下野《げや》と米国の関わりの真実については、「時間」に期待することにしたい。

4. 日本人としての解釈

(1) 批判者の限定的中立性

ベネズエラの現野党や国際人権機関や大手新聞・テレビ局のマドゥロ政権批判を慎重に理解する必要がある。野党がマドゥロ政権を批判するのは野党として当然であるが、政治的発言であり、それ以上でもそれ以下でもない。その内容が、事実認定のための資料価値を十分に有しているかどうかについては、疑問の余地がある。ちなみに、そもそも激しい政権批判が許されていること自体、チャベス－マドゥロ政権が独裁政権ではないことの証左である。

国連機関や国際機関が必ずしも中立公正ではないかも知れないという疑いを抱く例は、今日いくつか認められる。たとえばＩＯＣ（国際オリンピック委員会）が、大会の開催月について、巨額の放映権料を支払う米国のテレビ局の影響力を受けている可能性は、よく指摘される点である。あるいは今回の新型コロナウイルスのパンデミックをめぐる事務局長の言動から、ＷＨＯ（世界保健機関）の信頼性に一定の疑問を有する向きもあるかもしれない。WHOに限らず、国際機関について、覇権国や大口の資金拠出国の政治力に影響されるという脆弱性は、一定程度認められるであろう。そもそも戦後約七〇年をへて、国連機関は巨大な国際官僚組織と化しており、彼らが巨額の出資者の影響をまったく受けないと断言することは難しい。

国連人権高等弁務官事務所はベネズエラの人権侵害に関する報告書を書いているが、一つの問題は、社会騒擾をどう扱うかという点に関連している。政府の治安部隊や警察の発砲によって抗議運動の参加者の中に死者がでているとの疑いがある場合、本来は現場検証によって弾道を同定するなど、殺人事件の捜査のような調査が必要である。しかし国際人権機関や人権団体（NPO）の現地調査団は、人権問題に詳しい学者と人権派の弁護士などから構成されているに過ぎず、犯罪捜査の専門家はいない。現地では現場検証をしておらず、現地住民や政府関係者への聞き取りを主体とした短期間の滞在による調査である。誰にどのような環境下で聞き取ったかの具体的情報は記載されていない。二〇二〇年七月の最新報告では［UNHCHR 2020］、米国の経済封鎖の悪影響についても言及しているので、一定のバランスをとった内容にはみえるが、基調はマドゥロ政権を批判する内容となっている。

私たちは、バイアスのかかった政権批判をできるだけ除去して、ありのままのベネズエラを知る努力を払う必要がある。バイアスを除去しても、先述したように、汚職・腐敗といった一定の否定的要素は残りうる。しかし大局的にみて、この政権は独占資本の抵抗と米国の違法な内政介入と闘いながら、社会的弱者の利害をまもり、彼らの生活の質を改善する変革を進めてきた。同時に、それに対する全世界中の広範な（マスメディアの報道を含めての）内政干渉、その同調圧力および風評被害と、日々闘っているのである。

（2）日本人としての論点——米国覇権の牽制法

ベネズエラの状況は日本と無関係ではなく、むしろ米国との関係という点で共通点が多い。日本も、様式は異なるが多様な介入と圧力を日々米国から受けており、事実上米国の植民地のような現象がときどき発生する。その事例は過去も現在も枚挙にいとまがないが、近年の一例は沖縄の辺野古基地建設の問題で、市長選、県知事選、県議会選などで何度も建設反対の「オール沖縄」の意志が表明されているにもかかわらず、また「マヨネーズ地盤」ともいわれる軟弱地盤であることが判明したにもかかわらず、沖縄防衛局（日本政府）は大浦湾の埋立て工事を進めており、米国を忖度した従僕な態度が徹底している。国民の人命・財産と美しい国土を守るために防衛施設があるわけだが、沖縄で最も美しい海を破壊して、ほかに何を防衛したいのかというと、日本政府は「宗主国」米国との従属的な関係を防衛したいのだろうと考えるほかない。

また日米地位協定の規定内容および運用上の特徴については、米軍基地内に日本政府の監視が及ばない、米軍兵士の犯罪者（逮捕者）の身柄が日本側に引き渡されにくいなど、その不平等さは繰り返し指摘されてきた。これに関して直近の事件をあげれば、沖縄の米軍基地で二〇〇人以上の新型コロナウイルスの感染者が発生したことである。その後沖縄県では、本土からの観光旅行の影響もあいまって感染が急速に拡がり、医療崩壊の危機に直面した（二〇二〇年八月上旬現在）。米軍側は米軍関係者の間での感染拡大について、日本側に十分な情報を公表してこなかった。米国からの一般の入国者には一四日間の検疫（検疫所長が指定した場所での隔離）などの制限措置が適用されてきたが、米軍は入国自由で、入国後の隔離措置もとられていなかった。日本側は、協定により、米国に対して米軍関係者の感染状況の公表をもとめる権限がないのである。このように日本は、米国の植民地のような社会現象が頻繁に生じる国である。

米国が日本の政権に対して、軍事侵攻をしたり、クーデターによる政権転覆工作をしかけないのは、私たちが国際的にみて高い水準で恭順だからである。もし日本が、国際的に標準な水準へと恭順さを下方調整した場合、何が起こるだろうか。たとえば米国と距離をおく政権が誕生したり、従来の保守政権とはやや異なる、社会主義とまでいかなくても新自由主義路線ではない、平和と環境を重視する政権が成立したら、米国はどのような対応をするであろうか。現在ベネズエラに起こったことのすべてが、日本でも起こる可能性がある。

（3）科学的思考訓練

以下は想像や憶測ではなく、ベネズエラ危機の現実をふまえた科学的思考訓練である。超大国Sに従属するA、B二つの独立国があるとし、両国ともS国に従属せざるをえない類似の地政学的環境におかれているとする。この場合S国がA国に対して圧力を加えたという事実をふまえて、同じS国がB国にも類似の圧力を加える可能性を予想する作業が科学的思考訓練として成立する条件は、A、B両国が地政学的に類似の環境におかれているという点である。具体的に考えると、米国に対して、日本とベネズエラは地政学的に似た環境にある。日本は中国という「社会主義国」に対する防波堤として、ベネズエラはキューバという「社会主義国」に対する防波堤として、重要である。日本は東アジア全体の支配のための重要な拠点であり、ベネズエラは南米全体の支配のための重要な場所である。このように地政学的な類似性があるので、ベネズエラに生じた事実をふまえて、日本にも同様の圧力や攻撃がありえると予想することは、科学的思考訓練として、成立する。

もし日本が自主路線を選択すると、米国政府や国際人権機関や通信社や大新聞から、〈「左派政権」である、独裁政権である、汚職・腐敗に満ちた政権である〉などと非難され、貿易制限を受け、金融封鎖が始まる。「経済戦争」といえる状況下で、日本経済はGDPが一年間で三割減り、国家崩壊の状況に至る。原因として「左派」政権の「経済失政」が指摘される。日本を多くの人々が脱出し、南シナ海の「ボート難民」となるが、難民や出国者数は過大に推計されて報じられる。デモや暴動が増え、警察や機動隊が出動するが、彼らの治安維持の行為は過剰な対応で、市民運動への弾圧行為だとして、国連人権高等弁務官事務所が批判的報告書を刊行する。全世界のマスメディアは、日本の「左派政権」は社会騒擾《そうじょう》に乗じて市民を暗殺する独裁政権だと糾弾し、国政選挙の前倒し実施を求める社説を掲載する。

現代世界において、新自由主義やグローバル化からの転換や、対米自立の路線を主張することは、言うだけであれば簡単であるが、実行は容易ではない。たちまち政権潰しの巨大な世界的マシンが始動し、国民経済は地獄へと突き落とされる。このことをベネズエラ危機は示している。したがって日本で脱新自由主義を展望する場合、そうした「左派」政権潰しにどう対処するかを含めた戦略を市民派は準備しておく必要がある。

ベネズエラへの「集団的イジメ」は、日本など他の対米追随国への牽制球であり、「自主路線を志したなら、どうなるか」という潜在的な「脅し」として機能していると解釈可能である。敷衍《ふえん》すると、ベネズエラやニカラグアへの内政干渉や、あるいは背後の中国やロシアといった支援国に対抗する動きの目的は、彼らを「見せしめ」として利用した、米国による同盟国への締め付け戦略といえる。その意味で「ベネズエラ問題」は、実は日米関係の問題であり、煎じ詰めれば「日本問題」なのである。

もう一歩踏み込んだ考察へ進むならば、実はすさまじい金融封鎖にもかかわらず、ベネズエラ人の生活は崩壊していない。米国は政権転覆つまり「左派」政権の除去に失敗していることに、世界は気づきつつある。日本も日米地域協定を改善したり、日米安保条約の解消を示唆して、米国から強烈な金融封鎖を仮に受けたとしても、生き延びる方法があることが、証明されつつある。杉田が論じているように［杉田 2020］、たとえばドルで金融封鎖を受けても、ドル以外の通貨や金（ゴールド）や物々交換で決済を進めればよいことに、マドゥロ政権のやりくりを見ていて、私たちは気づきつつある。これは日本の変革にとってきわめて重要な発見で、一言でいえば、米国が私たちを排除するのであれば、私たちが米国を排除すればよいという対抗戦略を、つまり米国覇権の牽制《けんせい》法を、ベネズエラの危機から世界は見つけ出しつつある。

5. おわりに

ベネズエラは、チャベス政権以後、日本人が戦後怖くて一度も実現できない対米自立路線を、果敢《かかん》にも選択したわけである。GDPが五年で半減近く縮小するなど、当然想像を絶する攻撃を受けている。しかしそれでもベネズエラの生活経済が潰《つぶ》れていないことが重要で、実は米国の外国政府転覆の能力が低下していることを私たちは認知するに至った。

さらに一歩踏み込んで考察するならば、経済取引において米ドルによる決済を離れることで金融封鎖を回避するなど、米国排除の方法と、強いては米国覇権の潰し方も、見えてきた。このことは、対米従属に徹底的に甘んじて「事なかれ主義」「長いものに巻かれよう主義」を貫いてきた日本人にとっては、大発見である。戦後七〇余年の徹底した対米従属の軛《くびき》からついに解放されるという展望が、地球の裏側から開けてきたといえる。自然科学的には反対であるが（日本が先に夜が明ける）、政治経済学的には、ベネズエラの夜明けが実は日本の夜明けを導きうるという意味で、ベネズエラ問題は日本問題である。今ほど市民の国際連帯が両国間で求められている時はない。

米国の理不尽に抵抗する勇気と矜持《きょうじ》を捨てて堕落した私たちは、今一度ベネズエラ人の勇気と矜持を見習い、失った勇気と矜持を取り戻す貴重な契機を得つつある。日本人がこの契機を見逃してしまうか、今後の軌道修正に活かすかどうかについては、しばらく事態を観察し続けたい。

＊本研究はＪＳＰＳ科研費「基盤研究（Ｃ）（一般）１８Ｋ１１８１０」（２０１８～22年）の助成を受けたものである。

【主な参照文献】

上谷直克（２０１９）「脆弱化するラテンアメリカ民主政治」『ラテンアメリカ・レポート』Ｖｏｌ．35，Ｎｏ．２。

エルナー、スティーブ著、後藤政子訳（２０１９）「ベネズエラのチャビスタ政権――変革過程におけるプラグマティック戦略とポピュリスト戦略をいかに考えるか」『アジア・アフリカ研究』第59巻第1号（通巻４３１号）。

河合恒生（２０１９）「ベネズエラ報道をめぐって」（『アジア・アフリカ研究』第59巻第3号（通巻４３３号）、7月刊所収）。

後藤政子（２０１９）「米国のラテンアメリカ政策とベネズエラ問題」（『アジア・アフリカ研究』第59巻第3号（通巻４３３号）、7月刊所収）。

小阪裕城（２０２０）「国際機構と人権理念」『歴史評論』Ｎｏ．８４４（8月号）。

近田亮平（２０１９）「転換しつつあるブラジルの社会福祉――右派・保守イデオロギー色の強いボルソナロ政権」『ラテンアメリカ・レポート』アジア経済研究所、36巻1号（https://doi.org/10.24765/latinamericareport.36.1_24）。（最終閲覧日：２０２1年1月15日）

庄司真理子（２００２）「［資料］米州機構憲章――１９９３年マナグア議定書」『敬愛大学国際研究』第9号、３月。

新藤通弘（２０２０）「ベネズエラ、何が問題か」『経済科学通信』Ｎｏ．１５０。

杉田弘毅（２０２０）『アメリカの経済制裁』岩波書店。

所康弘（２０１９）「新自由主義を巡る攻防――ベネズエラ問題の構造」（『アジア・アフリカ研究』第59巻第3号（通巻４３３号）、7月刊所収）。

望月衣塑子・前川喜平・マーティン・ファクラー（２０１９）『同調圧力』角川書店。

山崎圭一（２０１９）「ボルソナロ政権誕生から約一年――ブラジル社会はいま」『世界』12月号。

――（２０２０）「ブラジル労働者党政権14年間の評価と今後の展望」『経済科学通信』Ｎｏ．１５０。

UNHCHR (2020). *Outcomes of the investigation into allegations of possible human right violations of the human rights to life, liberty and physical and moral integrity in the Bolivian Republic of Venezuela*, July 2 (a report to the 44th session of Human Right Council) (downloaded in July 2020 from the following website: https://www.ohchr.org/EN/Countries/LACRegion/Pages/VEReportsOHCHR.aspx).（最終閲覧日：２０２０年12月25日）

VEJA ２０１９年３月18日
https://veja.abril.com.br/politica/nos-eua-moro-assina-acordos-com-fbi-e-departamento-de-seguranca-nacional/（最終閲覧日：２０２０年12月25日）

国際連合広報センターのウェブサイト
https://www.unic.or.jp/info/un/charter/text_japanese/（最終閲覧日：２０２０年12月25日）

ミネソタ大学人権ライブラリー
http://hrlibrary.umn.edu/japanese/Jprinciples1970.html（最終閲覧日：２０２０年12月25日）

日本国防衛省・自衛隊のウェブサイト
https://www.mod.go.jp/j/presiding/treaty/geneva/geneva4.html（最終閲覧日：２０２０年12月25日）

IMFのウェブサイト
https://www.imf.org/external/datamapper/PCPIPCH@WEO/WEOWORLD/VEN（最終閲覧日：２０２０年12月25日）

第6章　ブラジルからのベネズエラへの視点

――権威主義とポピュリズムの力

住田育法

はじめに

第二次世界大戦に連合国として参戦したブラジルは、ジェトゥリオ・ヴァルガス（Getúlio Vargas）の権威主義体制終焉の一九四五年以降、米国との経済・外交関係を強めた。とくに開発政策のための米国との技術協力を戦後の政権が積極的に進める。独裁者から民主主義者への変身を果たした戦後

写真１　1961年８月中国を訪問し、友好のメッセージを読むゴラール副大統領
写真：PDT民主労働党提供　"Jango E A China: Um Legado Socialista De Paz E Amizade" PDT（民主労働党）公式ホームページ：https://www.pdt.org.br/index.php/jango-e-a-china-um-legado-paz-e-amizade/ より（最終閲覧日：2020年３月２日）。

のヴァルガス政権（任期：一九五一年一月〜五四年八月）を引き継ぎ、一九六〇年四月に新首都ブラジリアを誕生させたジュセリーノ・クビシェキ（Juscelino Kubitshek）大統領（任期：一九五六年一月〜六一年一月）は、米国を中心とする外資に依存する工業化を推進させた。これは汎米主義を掲げる米国の意向に沿う外交姿勢であった。

しかし、東西冷戦が顕著となり始める一九五九年五月にキューバのフィデル・カストロ（Fidel Castro）をクビシェキ政府は公式にブラジルに招き、やがて国民の人気を得て登場したジャニオ・クアドロス（Jânio Quadros）大統領（任期：一九六一年一月〜八月）は、一九六一年八月にはキューバ革命に活躍したチェ・ゲバラ（Che Guevara）に南十字星勲章を授与した。そしてジャンゴ（ＪＡＮＧＯ）の愛称で知られる副大統領ジョアン・ゴラール（João Goulart）はそのとき、文化大革命まえの中国を公式訪問していたのである。記録映画『ＪＡＮＧＯ』（一九八四）はこの訪問の場面から始めている（**写真１**）。クビシェキが開発優先の親米主義を掲げた直後、ブラジルは共産圏への接近を強めた。ブラジルがポピュリズムを背景に、親米的経済開発から格差是正の社会正義に政策を転換させた瞬間であった。

この共産圏やキューバに傾く姿勢は一九六四年から一九八五年までの軍政によって中断するものの、二一世紀初頭には、労働者党（PT: Partido de Trabalhadores）からルイス・イナシオ・ルーラ・ダ・シルヴァ（Luiz Inácio Lula da Silva）政権が誕生することで再び、左派政権としての展開が起こった。社会的かつ地域的格差を是正し、石油などの資源ナショナリズムの立場からの発展を意図したのである。ブラジルがウゴ・チャベス（Hugo Chávez）のベネズエラに接近したのはこのときであった。

ルーラは民衆の力を背景にした資源ナショナリズムを主張し、二〇世紀のジャニオとジャンゴ（ジョアン・ゴラール）政権は国際共産主義の協力を意識したブラジルの社会問題克服を求めた。一方、二〇世紀の軍部が目指したのは国家資本主義とも呼べる合理的な開発優先主義政策であった。軍部、ルーラいずれの政権も石油開発については、ヴァルガス以来の、ブラジル国家の資本に頼る選択を行った。

この歴史の展開を見ると、一九五〇年代末から一九六四年の軍部のクーデターまでの政権と二一世紀のルーラの時代は、二一世紀にベネズエラのチャベスが求めた政策に一致するように思える。しかし、大きな違いは、ブラジルは一貫して石油開発の国産化を目指し、技術と資本を国際資本主義制度の下で比較的合理的に手に入れてきた。これに反して、チャベスとニコラス・マドゥロ（Nicolás Maduro）のベネズエラの政策には、資本と技術をかたくなに反米の立場でやりくりしようとしている点がみられる。

左派か右派かいずれか一つの選択ではない、ブラジルが進めてきたような柔軟で合理的な政策が、今後のベネズエラに求められるであろう。

カストロのキューバ、毛沢東の中国に接近したヴァルガスの後継者ゴラール政権を描いた既述の記録映画『JANGO』の監督は、一九八四年のインタビューに「この映画は単なる過去への郷愁ではなく、未来を考えるためにある」と述べている。筆者もこのまなざしを重視したい。

一九六一年、東西冷戦の中、限りなく共産圏に近づいたブラジル政府は、そのあと米国の外交や情報発信などの強い政治力を受け入れ、二一年間、軍政下にあった。そして二一世紀のルーラにはじまる労働者党左派政権が、チャベスのベネズエラとカストロのキューバに近づいた。さらに、BRICS（新興のブラジル、ロシア、インド、中国、南アフリカ共和国の総称）の一国として中国やロシアとの関係を深め、現在の右派政権のジャイール・ボルソナロ（Jair Bolsonaro）の登場となるのである。まず、過去を振り返ることから、観察を始めたい。

1．ベネズエラの隣国ブラジルの空間と民族

(1) アマゾニアを挟んで

ブラジルにとってベネズエラは広大なアマゾン川流域（アマゾニア）を挟んだ隣国である（**図1**）。

ブラジルの特徴の第一は豊かさを生む広大な空間である。国の北部を赤道が通っているため、国土の九三％が南半球、残りの七％が北半球に位置し、さらに約六割が法定アマゾンで占められてい

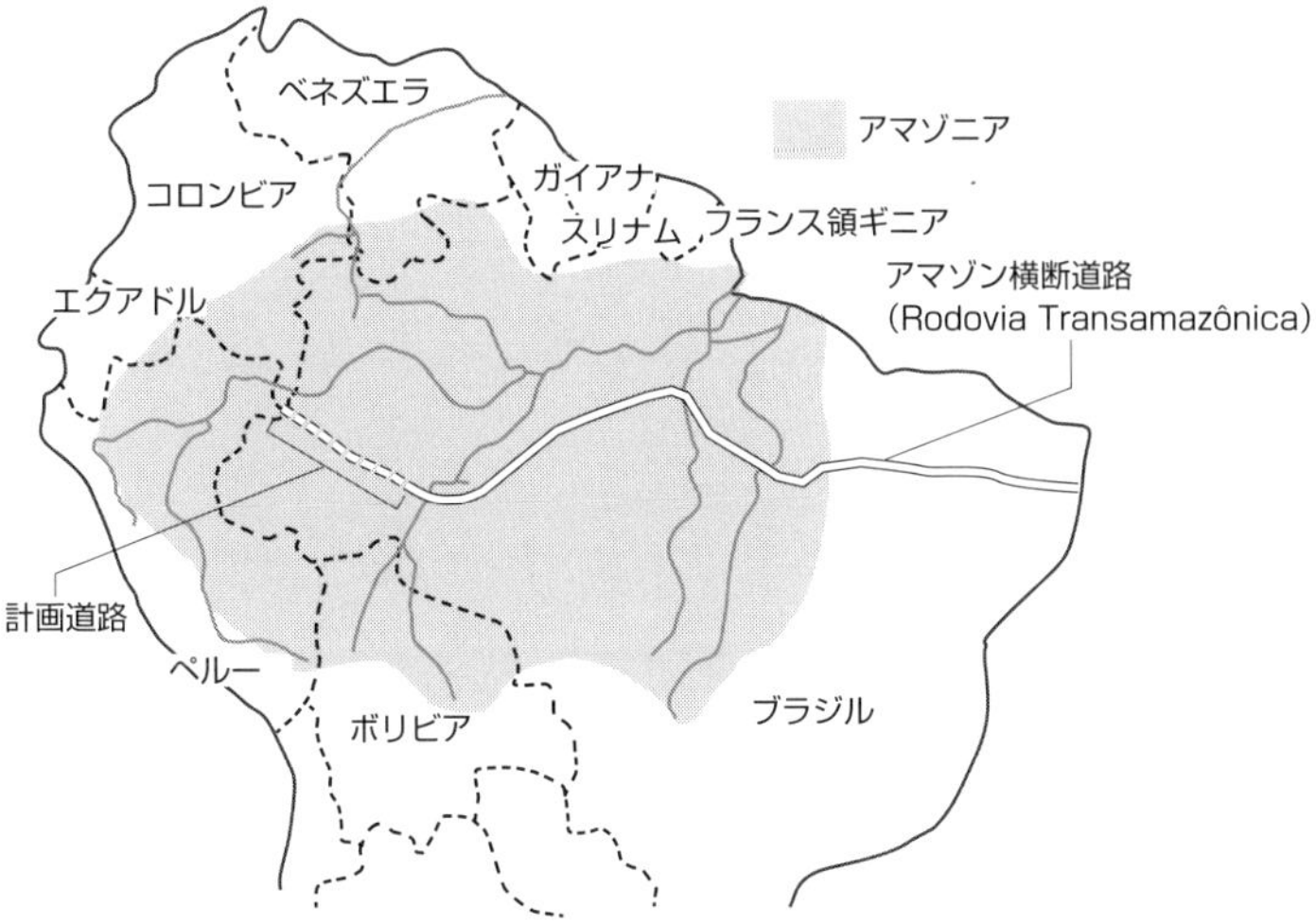

図1　アマゾニアとブラジルの隣国

る。第二の特徴は、国民の人種的・民族的な形成の過程が多様なことである。価値観が多様な社会では、国民の意見をまとめるのに苦労を要する。近代ブラジルにおいて内陸部の開発を掲げこの事情の克服に挑戦したのが、戦間期世界恐慌以降の一九三〇年代に登場したヴァルガスであった［住田 2016: 319-340］。ヴァルガスはリオデジャネイロやサンパウロのような大西洋の海岸地帯ではなく中西部や北部のブラジル内陸部の開発を重視した。つまり、アマゾン川をぬきにしてブラジルを語ることができないほど、この大河はブラジルの政治、経済、社会、文化に深くかかわってきたのである。

アンデスの雪の山々からはじまり、赤道直下の緑の森を下って大西洋にそそぐアマゾン川は、東西の距離がブラジル領内のみで日本列島がそのまま入るほど広大である。一八世紀のポンバル侯（Marquês de Pombal）のアマゾン開発［住田 1984: 71-79］以来、永く難事業と考えられてきたものの、一九世紀末のゴム採取ブーム後の一九三〇年代のヴァルガス時代に注目されはじめ、一九七〇年代の軍政下の「奇跡的成長」期に現実のものとなった。

(2) 軍政下のアマゾニア

熱帯林を切り開いて鮮やかな朱色のまっすぐな自動車道路が一九七〇年代に作られた。ブラジル北東部の大西洋岸に至る部分を含めると長さは五五〇〇キロメートルにおよび、これによって緑の地獄とさえ評された大空間を大量のモノやヒトがたやすく移動できるようになった。地上には農牧畜業のための広大な空間、地下にはそれぞれ世界最大級の埋蔵量と目されている鉄鉱石、錫、ボーキサイト、岩塩、石油などの豊かな鉱床が眠っている。開発優先主義を掲げた軍事政権は、北東部の土地を持たない貧しい農民を人口希薄な土地へ運ぶためにアマゾン横断の自動車道路の建設を開始した。

ブラジル軍政下の一九七四年にその一部の一〇七〇キロメートルが開通したが、実際にはこの「土地なき人を人なき土地へ」の政策は、アマゾンの生態系が北東部のような農業に適さない［メガーズ 1977: 221-230］ため挫折する。土地なし農民に代わって牧畜が積極的に進められることになった。しかし牧場の拡大に加えて、鉄鉱石やボーキサイトなどの豊かな鉱物資源の開発が、間接的、直接的にアマゾンの森林の減少の要因となり、やがて地球規模での自然破壊という環境問題を引き起こしたのである［住田 1997: 303-309］。

(3) ベネズエラにつながるアマゾニアの人と自然

ブラジルのアマゾン川は、ネグロ川からベネズエラのオリノコ川に向けて、自然の大河でつながっている。カリブ海に面した産油国ベネズエラはブラジルにとって地政学上の重要性をもつ(**図1**)。とくに空間の開発と国土の防衛の観点からである。二〇世紀末、ブラジルのマナウスからベネズエラとの国境に向かう自動車道路ＢＲ－１７４が整備された。これにより、マナウスとベネズエラの首都カラカスを結ぶカラカス・マナウス自動車道路が期待される[1]［日経新聞 2020］。しかし二一世紀の十年代末、ブラジルの政権が左派から右派に転換することによって、反米ベネズエラ政権との関係は悪化することになる。

一方、民族形成の歴史を考察すると、ベネズエラとブラジルの社会には、異種族混交の面から人種的共通点を観察できる。アマゾン川流域の先住民は白人との混血カボクロとして両国の国民形成に背景を与えている［Ribeiro 1995: 31-37］。さらに、カリブ海諸国ではサトウキビ栽培による黒人奴隷制の歴史を経験しているため、広大なブラジル北東部の黒人奴隷制砂糖プランテーションの社会のアフロ的共通点を、ベネズエラとブラジル社会は持っている。これは音楽や食文化における同質性につながり、両国の指導者が国民に与える好感度としてのポピュリズムを考える際の参考になる。

ブラジル北東部ペルナンブコ出身のルーラとカリブ海沿岸の国ベネズエラ出身のチャベスが、互い

1　二一世紀の今、二〇一九年二月にはブラジルと米国がベネズエラの野党陣営に人道支援物資を送りこもうとする動きに反発し、ベネズエラが国境付近に軍を配備し国境を閉鎖した。また二〇二〇年三月には、ブラジルのボルソナロ大統領が、アルゼンチンやボリビア、コロンビアなど、ウルグアイを除く周辺国から陸路での外国人の入国を一五日間禁じた。すでにベネズエラとの国境を閉鎖しており、対象を拡大したことになった。

を同士、または友達と理解した背景を地政学上のそうした異種族混交の歴史に見ることができる。

2．中国とキューバに接近した二〇世紀ブラジルの左派政権

（1）共産圏への接近

一九五〇年代の南米の若者の考えを伝える興味深い言葉をチェ・ゲバラがペルーで語っていた。映画のシーンを引用して紹介する。[2]

無意味な国籍により、国が分かれているが、南米大陸は一つの混血民族で形成されている。メキシコからマゼラン海峡までだ。したがって、偏狭な地方主義を捨てて、ペルーと統一された南米大陸に乾杯しよう。

このゲバラのラテンアメリカ民族主義の思想を反映する政治が、この直後にブラジルでも展開したのである。

首都移転を一九六〇年に実現したヴァルガス派[3]のジュセリーノ・クビシェキ大統領は、広大な国土を開発するために大胆な経済開発計画を行ったと評価できる。しかし、インフレーションが、一九六四年革命（軍事クーデター）に至るジャニオ・クアドロスからジョアン・ゴラール大統領まで

の時期に大きな経済混乱を引き起こす原因となった〔住田 1986: 162〕。

クビシェッキの任期満了の一九六一年一月から六四年三月三一日革命までは過渡期とも考えられるが、第二次世界大戦後のポプリズムが民衆の左派的願望にもっとも密着した形で展開した四年間であった。この時期は一般に「ジャニオ（Jânio）とジャンゴ（Jango：ジョアン・ゴラールの通称）」の時代としてある親しみをもって国民に記憶されている〔記録映画 *JANGO*〕。

(2) 新しいユニークなポピュリスト

二人の大統領の一人目のジャニオ・クアドロスは就任前の一九六〇年三月にキューバのカストロに会うなどが注目を集めていた〔Skidmore 1967: 191〕。クビシェッキ大統領の後を受けて「ジャニオからジャンゴまで」の時代の一九六一年一月から八月までの最初の七ヶ月間に登場した。サンパウロ市長、同州知事の経歴を生かして、急速な都市化が進むサンパウロを地盤に、大統領選挙をジャニオ・クアドロスは勝ち取った。彼は保守政党の全国民主同盟（UDN: União Democrática Nacional）を中心に、共和党（PR: Partido Republicano）、自由党（PL: Partido Liberal）、キリスト教民主党（PDC: Partido

2　一九五二年六月一四日の別れの挨拶である。二〇世紀末一九九〇年代に起こったブラジルの出稼ぎ現象に接して、若者にもっとブラジルの内陸部を知ってほしいとの思いから、映画『CENTRAL DO BRASIL　セントラル・ステーション』を製作したブラジル人ヴァルテル・サレス監督の『THE MOTORCYCLE DIARIES　モーターサイクル・ダイアリーズ』の中の一場面である。ゲバラの言葉は、スペイン語の映画のせりふの和訳である。

3　ヴァルガスは一九三〇年のクーデターで登場し、一九五四年に自殺した二〇世紀を代表する指導者であり、二〇世紀後半にも後継者に影響を残した。

Democrata Cristão）などの幅広い政党の支援を得て、労働者階級や中間層の願望、とくにインフレ抑制を目指して、極めて革新的な政策を打ち出した。彼のカリスマ的風貌と個性的な演説は民衆に強くアピールし、大都会サンパウロを舞台として実を結ぶに至ったポプリズム的政治活動を行ったのである。

従来のスタイルからすれば、ヴァルガス派でも反ヴァルガス派でもなく、軍部の強力な支持を得たわけでもなく、経歴も学校の教師という政治の本流から見るとアウトサイダーであった。さらに副大統領にはヴァルガス派のブラジル労働党（PTB: Partido Trabalhista Brasileiro）の指導者であるジョアン・ゴラール（Jango）が選出され、きわめてユニークな組み合わせとなった。民衆の願望を反映させようとした政策は奇抜であった。過去の伝統的政治体制の腐敗を一掃し非能率を排除するとして政治運動のシンボルに箒を持ち出したのである。外交ではキューバや中国に接近し、とくに米国の政治的・経済的圧力からブラジルを解放しようとした。内に向けては、ポプリズムを進める中で、広大なブラジル空間の発展を求めて民族主義の高揚に努めた［富野 1997: 247］。

インフレ抑制のために為替の管理を徹底させ、小麦、石油、新聞用紙に対する政府の為替援助を打ち切った。また、自由貿易の原則から東ヨーロッパの国々や第三世界の新興諸国との通商を開始させた。内政面でもトラスト排除法案、税制改革法案などをつぎつぎに打ち出していった。しかしこれらの急激な改革案は大地主層や軍部の保守陣営の反発を招いた。五六三万を超える大量の票を得て大統領選挙を勝ちとったクアドロスは、大地主層が支配する国会では孤立を深めた。キューバの閣僚チェ・ゲバラに最高位の南十字星勲章を贈った一九六一年八月に政治が動いた。一九五四年にヴァルガス大統領を追い詰め大統領キラーの異名をとっていたカルロス・ラセルダ（Carlos Lacerda）による反クアドロス・キャンペーンの洗礼を受けたのである。八月二四日夜、クアドロス派の法相がクーデターを準備中であるとのラジオ演説をカルロス・ラセルダが行い、翌二五日、クアドロスは辞任に追い込まれた。すでに述べたように、ジョアン・ゴラールがジャニオ・クアドロス政権の副大統領として文化大革命前の劉少奇主席の中国を一九六一年八月一三日から二三日まで訪問し、毛沢東や周恩来と親交を深めたときのことであった［記録映画*JANGO*］。中国では毛沢東による対外戦略の構図が変わらず、建国直後の向ソ（ソビエト社会主義共和国連邦）一辺倒、一九五〇年代前半の平和共存、六〇年代前半の中間地帯論、ソ連修正主義批判、七〇年代の「三つの世界」論に至るまで、いずれも毛沢東の提案と決定によった［小島 1999: 268-272］。したがって、ブラジルのゴラールが中国を訪問して毛沢東に会ったことの意味は大きいといえよう。

（3）ヴァルガス派の左派ゴラールの登場

クアドロスは一九六一年八月二五日、突然、「隠れた恐るべき勢力からの攻撃により政権を維持できなくなった」との辞表を残して、ブラジリアを去った。大統領の辞任によって副大統領のゴラールが一九四六年憲法の規定にしたがって直ちに大統領に就任する予定であった。しかし、ゴラールが中国を訪問中であったため（**写真1**）、事態は複雑となった。国内では労働者の立場から急激な改革を求め、外交では第三世界や社会主義圏に接近する左派の政治姿勢に対して、軍部や国会からの反発があった。保守的な大地主層からなる国会は下院議長を臨時大統領に就任させ、ゴラールの大統領就任に難色を示した。一方、急遽、中国から故郷のリオグランデドスル州に帰ったゴラールを、義弟の同州知事レオネル・ブリゾラ（Leonel Brizola）と南部に本拠を置く陸軍第三軍団が、憲法擁護の立場から支援するとの態度をとった。このためサンパウロやミナスジェライスの中央の軍団との間で内戦勃発の危険が生じたのである。結局、国会は、従来の大統領制ではなく、大統領の権限を縮小した議院内閣制をしくことを条件に、ゴラールの就任を認め、首相にはミナスジェライス州出身のヴァルガス派のタンクレド・ネヴェス（Tancredo Neves）が選出された。その後、一九六三年一月に議院内閣制か大統領制かの選択を国民に問う直接選挙が実施され、八〇％の支持により、従来の大統領制が復活した［住田 1986: 164-168］。

労働者への対応では、ゴラールは労働組合の活動を支援しながら公務員を含む労働者の平均給与や最低賃金の引き上げを頻繁に実施し、地域格差を是正するため北東部の農業開発に興味を示した。

一九六四年、農地改革や左派急進路線を実行するための憲法改正の意思表明をしたころよりゴラール政権は軍部の強い反発を招き、カステロ・ブランコ（Castelo Branco）による三月三一日のクーデターの勃発となった。

3．二〇世紀権威主義体制と開発優先の遺産

(1) 軍政権威主義

一九六四年四月に成立した軍政の初代大統領カステロ・ブランコは、経済閣僚には民間の専門家

（テクノクラート）を起用し、経済発展の実績によって軍政の正統性を獲得する、という権威主義体制をとることとなった。二一年間に及ぶブラジル軍政の誕生である。

一九四六年の民主的憲法を否定して登場した軍部の政治は、表向きは資本主義経済による開発優先主義をうたっていたが、一九六七年憲法とこの憲法の改正として成立した一九六九年憲法に基づく「権威主義的統治」であった［矢谷 1991: 4］。

まず、インフレーションの抑制を支柱とする安定化政策に着手した［富野 1997: 204-211］。基本的な資本主義経済による方針は次の四点であった。

①国際金融界での信用の回復。
②長期の外国民間資本の流入の促進。
③輸出の多様化。
④輸入能力の強化。

具体策として打ち出したのは、左派ゴラール政権とは異なる外国企業投資を促進するための環境整備であった。

①ゴラール政権のとき（一九六二年）に制定された利潤送金制限法の改正。
②ゴラール政権のとき国有化された外資系企業の公共プラントに対する賠償に同意。
③米国との投資保証協定の締結。
④石油化学工業への私企業の参加を認可。
⑤輸出の多様化と拡大を実現するため、新しい鉄鋼政策を立案。

⑥一九六四年の大統領令により、政府の独占であった鉱山開発に私企業の参加を認める。

（2）経済活動三ヶ年計画（PAEG）

初期の軍政は、インフレ抑制と経済の不均衡是正を目指して、経済企画相に起用された経済学者ロベルト・カンポス（Roberto Campos）が策定した「経済活動三ヶ年計画（PAEG・一九六四〜六六年）」を実施した。同計画は、一九六五〜六六年にかけて五％以上の成長を確保しながら、①インフレの抑制を進め、②国際収支の改善を図り、③雇用政策を再建し、④地域格差の是正に努力するとの四点を骨子とした。これが、インフレの抑制と経済成長を同時に進めるという軍政の基本的経済政策の出発点となった。

ベネズエラは豊かな石油資源に恵まれていたが、ブラジルは広大な国土を活用する開発優先の政策の基盤を二〇世紀後半に整えなければならなかった。二一世紀になりチャベス政権が意図したベネズエラの「国家資本主義」の方針［坂口 2016: 164］をブラジルの軍政は二〇世紀中葉に進めたといえよう。ベネズエラは当時、石油収入への満足と無血選挙の下で、独裁政権と革命運動とは無縁であった［キャロル 2014: 2］。

（3）開発戦略三ヶ年計画（PED）

第二次軍政（一九六七年三月〜六九年八月）を担当したコスタ・イ・シルヴァ（Artur da Costa e Silva）大統領も経済成長に重点を置きながら、インフレ抑制を漸進的に行うという前政権の路線を踏襲して、「開発戦略三ヶ年計画（PED・一九六八〜七〇年）」を実施した。同計画は、一九六八年から一九七〇年の三ヶ年間に、①インフレを抑制しながら経済成長を高め、②社会開発を促進し、③雇用機会の増大を狙いとして、国内総生産の年間実質成長率を最低六％に設定した。

その結果、国内総生産は毎年七％以上、工業生産は一〇％を上回る高い伸びを記録し、政権の経済的目標であった経済の拡大を達成した。

産油国ベネズエラの成長率はこの時期ラテンアメリカ諸国の中でも比較的高い値を示している［富野 1997: 196］。

軍政ブラジルの一九六四年以降の基本的な政策の一つは対外貿易の振興であり、世界のあらゆる地域、とくにラテンアメリカ自由貿易連合（LAFTA）の地域に対する輸出品の多様化と拡大を促進した。輸出の主力は、鉄鋼、食肉、造船、コーヒーであった。

輸出活動に対する投資の障害の除去を図り、工業の生産費を減らし、国際競争力を促進させるために、軍政は一九六七年に輸入関税と為替手数料の軽減を行った。

病気のため任期半ばにして政権の座を去ったコスタ・イ・シルヴァの後継者エミーリオ・ガラスタズ・メディシ（Emilio Garrastazu Médici、任期：一九六九年一〇月〜七四年三月）も、これまでどおりブラジルが先進国の仲間入りをするという目的を達成するための努力を払った。しかしこの時期より、ブラジルの経済発展から取り残された階層や地域の問題、つまり地域格差や所得格差の問題の解決の必要性が表面化してきた。これに対して、軍政は、一九七〇年六月、国家統合計画（PIN）という北部・北東部地域の総合国土開発計画を策定し、九月より着手されることになった。

次いで、社会統合計画（ＰＩＳ）を打ち出した。一九七〇年八月に発表されたこの政策は、メディシ政権が標榜する「国民所得のより公平な分配」の実現を目指す政策路線に沿ったもので、勤労者の購買力の強化と貯蓄奨励が目標とされている。計画によれば、法人所得税の一部と民間企業の年間事業分量の一部を合わせて「参加基金」を設け、連邦貯蓄銀行がこれを管理する。ある民間企業に働いている勤労者はその給与水準および勤続年限に比例して、この基金の分配を受ける、という仕組みである。労働者の福祉増進を目的として設立されたのである。

（4）第一次国家開発計画（ＩＰＮＤ）

一九七一年九月、軍政のメディシ大統領は、「第一次国家開発計画（ＩＰＮＤ・一九七二〜七四年）」を発表し、次の三点を重要目標とした。

①一世代（三〇年）後に国民総生産を世界第八位にまで引き上げ、先進国入りを果たす。

②一九八〇年までに所得を倍増（一九六九年に比べて）し、そのため年九％前後の成長率を達成する。

③一九七四年までに一人当たり国民所得五〇〇ドルを達成。一九七四年の雇用の増加率を三・二％とし、インフレ率を一〇％にまで引き下げる。

一九七一年のこの国家開発計画の一環をなす重要なものに、次の二つの計画が掲げられた。

①北部・北東部土地再配分・農企業促進計画（ＰＲＯＴＥＲＲＡ）

これは地域格差解消のため、国家統合計画（ＰＩＮ）とともに打ち出された計画で、政府が大土地所有者の土地を買い上げ、これを長期年賦で零細農に売却する一方、企業的農業を拡大し、輸出向けの農産物加工プロジェクトを実施するものであった。

②中西部開発計画（PRODOESTE）

首都ブラジリアを含めて、ゴイアス、マトグロッソ両州[4]を包含する中西部のうち、開発の対象となるのは、パラグアイ、ボリビア両国と国境を接している西南地域である。

一九七二年にメディシ政権になってから、従来の北東部開発庁（SUDENE）、アマゾン地域開発庁（SUDAM）などの諸計画に加えて、アマゾン横断道路、クイアバ＝サンタレン国道の建設、さらに既述の中西部開発計画（PRODOESTE）が実施段階に入った。そして「国家統一の川」と称されてきたサンフランシスコ川について同川流域特別計画（PROVALE）を打ち出した。

（5）第二次国家開発計画（ⅡPND）

軍政第四代を引き継いだエルネスト・ガイゼル（Ernesto Geisel、任期：一九七四年三月～七九年三月）は一九七四年九月に「第二次国家開発計画（ⅡPND・一九七二～七四年）」を打ち出した。この中には成長の恩恵を享受することの少ないアマゾン地域や北東部などの後進地域経済の活性化と社会開発を推進することを目指すプロジェクトが組み込まれていた。

資源大国とはいえ、軍政下のブラジルはエネルギー資源に恵まれていなかった。一九七二年に原油の輸入依存度は七三％以上に達していたため、一九七三年の石油ショックによる打撃は大きかった。

4　軍政の一九七九年にマトグロッソとマトグロッソドスルの二州になる。

軍政最後の大統領ジョアン・フィゲイレド（João Figueiredo、任期：一九七九年四月〜八五年三月）もまた第二次石油危機に見舞われながら経済成長優先の「第三次国家開発計画（ⅢPND・一九八〇〜八五年）」を打ち出し、国際収支の赤字と格差の問題が重大化した。

(6) アマゾニア開発

軍政の時期に、北部アマゾン地域の発展が新段階に入ったといえる。ベネズエラなどギアナ地域との国境地域の開発（**図1**）がすすめられたのである。特に一九七〇年代、日本の対ブラジル投資が南東部サンパウロの製造業から北部アマゾン地域の鉱業に向けられ始めた。一九七六年にアルブラス計画のアマゾンアルミ精錬が調印され、一九八五年に操業を開始した。一九八五年には大カラジャス計画によってカラジャス鉄鉱山開発がすすめられ［富野 1997: 264-265］、やがて鉄鉱石輸送のための鉄道建設などが入植や牧畜などをうながし、大規模な森林破壊をまねくことになる。

一九八五年に二一年間続いた軍部独裁の政権が終わり、民主的な政権が誕生した。ブラジルはいわゆる新自由主義に基づいて、中央集権から地方分権へ、国営から民営化への大きな変化の時代を迎えた。

(7) 一九八八年憲法公布

国家の進むべき方向や秩序を定める理念の一つは憲法によって示される。ブラジルは第二次世界大戦の後、改正を含めて四度、憲法を公布している。ヴァルガスの独裁体制が終わった後の一九四六年の民主憲法、二一年間の軍事政権のもとでの一九六七年と一九六九年の憲法、そして軍政後のサルネイ（José Sarney）政権のもとで公布された八八年憲法である［住田 2002: 122-125］。

一九八八年一〇月五日に公布された新憲法は、過去の軍事政権の権威主義統治を支えた六七年憲法ならびにそれを改正して成立した六九年憲法に替わる新しい憲法として誕生した。八七年二月に憲法制定国民議会が発足し、約二〇ヶ月という歴代憲法中もっとも長い制定過程を経ての公布となった。新憲法は軍事政権下の政治的保守勢力の影響を残したものの、労働者階級の保護や民族資本への優遇処置が盛り込まれた。また、従来の「大統領令」は禁止され、大統領の権限も縮小し、逆に国会の権限が強化された。

新憲法の国軍についての条文は次のとおりである［矢谷 1991: 142-143］。

第一四二条　国軍は、海軍、陸軍および空軍をもって構成され、共和国大統領の最高権威のもとに、階級制と規律制を基礎として組織される恒久かつ正規の国家制度であって、祖国の防衛、憲法上の三権の保障、およびこれら三権のいずれかの発議により、法と秩序の保障にあたる。

軍政下の旧憲法で国軍は、国家安全政策の実施に不可欠な存在とされ、この規定の下で、国家安全保障審議会が国内および国外における国家の安全に対して全面的に責任をもっていた。しかし一九八八年憲法は、国家安全保障審議会を廃止し、公共の秩序維持は、連邦警察、連邦道路および鉄道警察、州、連邦区、連邦直轄領の知事に従属する文民警察、警察軍および消防軍があたることを規定している。この結果、国軍は対外的な国家安全に責任を有することになった［矢谷 1991: 34］。

4．チャベスと連帯した中道左派のルーラ

（1）憲法の改正

日本とは異なり、ブラジルでは憲法公布の回数も多く、さらに公布された憲法の内容を比較的柔軟に修正している。一九八八年憲法はコロル（Fernando Collor）政権下の一九九二年よりボルソナロ政権の今日に至るまで、毎年、細かな見直しが実施されてきた。憲法の原文とその後の改正箇所は、ブラジル政府のホームページにすべてが公開されている。二〇世紀における大きな改正は、フェルナンド・エンリケ・カルドーゾ（Fernando Henrique Cardoso）政権によって実施された。それは、大統領の任期を五年から四年に短縮し、大統領や知事、市長の再選を認めるものであった。一九九七年六月に、カルドーゾ大統領は政権支持勢力の協力を得て、改正を実行した。これによって選挙を経て、一九九九年一月にカルドーゾは大統領に再選され、二一世紀に入り、中道左派のルーラやジルマ・ルセフ（Dilma Rousseff）も再選されることになった。

（2）労働者党（PT）政権の誕生

中道右派ブラジル社会民主党（PSDB: Partido da Social Democracia Brasileira）のカルドーゾが一九九九年に再任されたのち、二〇〇二年の選挙で左派、労働者党（ＰＴ）のルーラが当選し、

二〇〇三年一月に大統領に就任した。

労働者党（PT）の名誉党首である北東部ペルナンブコ州出身のルーラが大統領選に勝利したという選挙結果は、ブラジル国民が変革を求めた証であった。第二次世界大戦後、ヴァルガスはブラジル労働党（PTB）から立候補して選挙に勝利したが、「労働者（trabalhador）」を冠する党の政権はルーラが最初である。

七月一五日に立候補の登録が締め切られ、八月二〇日から一〇月三日まで、テレビやラジオを使っての無料の政見放送が行われた。国民の非識字率が高く、さらに新聞の全国紙が存在しないブラジルでは、テレビの役割が大きい。選挙の宣伝のために割り当てられる出演時間は、選挙法に基づき各政党に所属する議員数に従うという、公平な方式である。政見放送はジョゼ・セーラ（José Serra）が一日二〇分四六秒、ルーラが一日一〇分三八秒、シーロ・ゴメス（Ciro Gomes）が一日八分三四秒、アントニ・ガロチーニョ（Anthony Garotinho）が一日四分二六秒であった[5]。カリスマ性の求められる選挙運動において、一〇月六日の一回目の投票ではルーラとセーラが勝ち残った。一時期「ロゼアナ旋風」を巻き起こした自由前線党（PFL: Partido da Frente Liberal）から立候補予定のロゼアナ・サルネイ（Roseana Sarney）は立候補を辞退し、一〇月二七日の決選投票に向けては、ロゼアナをはじめ、過去の大統領経験者のサルネイやイタマル・フランコ（Itamar Franco）、さらに、セーラを除く第一回目の立候補者のシーロやガロチーニョらがPTのルーラ支持を表明した。

5　二〇〇二年選挙高等選挙裁判所（TSE）決議通達ホームページのURL: http://www.tse.gov.br/eleicoes/eleicoes2002/instrucoes/inst_2002.html（最終閲覧日：二〇〇二年一一月八日）。

（3）ポピュリズム重視の大統領選挙

ダータフォーリャ（Datafolha）やIbopeおよびVox Populiなどの世論調査機関が小刻みに有権者の投票予測を発表し、この数字がテレビや新聞で大きく取り上げられ、立候補者のイメージを演出する宣伝担当者の役割が大きい。とくに、米国で学んだ有能な選挙参謀ドゥダ・メンドンサ（Duda Mendonça）の緻密な指導が際立っていた[6]。二〇〇九年八月一四日に筆者はブラジリア大統領官邸でマルコ・アウレーリオ・ガルシア（Marco Aurélio Garcia）特別補佐官に面談し、「ルーラ勝利はドゥダによるところが大きいとの評価があるが、正しいか」と質問した。これに対してガルシア特別補佐官は「相手候補（セーラ）にドゥダが協力しなかった、という点で、彼を取り込んだのは良かった」と返答した。テレビなどを活用した国民の直接選挙の方式では、ルーラが「旋風」とも呼べる人気の中で勝利して、大統領に選出された。

大統領選挙の有効得票数は、第一回の候補者六名の合計が八四九二万八二〇四票、ルーラがこの四六・四％の三九四四万三七六五票、決選投票は、合計が八六一六万四一〇三票、ルーラがその六一・二％であった。この結果から分かるように、新自由主義を掲げる与党ブラジル社会民主党（PSDB）が支持する候補セーラに対して、新ポピュリズムとも呼べる[7]新風を起こした野党の労働者党（PT）ルーラの躍進が目立った選挙であった。PTは軍政下の一九八〇年にルーラを党首として結成された比較的新しい政党である。四度目の大統領選挙に向かうルーラはカリスマ的要素［ヴェーバー 2006: 10-13, 55］を備えていると評せられていた。戦略としては副大統領に中道右派のブラジル民主運動

写真2　ルーラ（左）とチャベス（2008年 カラカス にて）
出　所：https://commons.wikimedia.org/wiki/File:Ch%C3%A1vez_e_Lula_Lula_--_27 06 2008.jpg より（最終閲覧日：2021年2月22日）。

党（ＰＭＤＢ）所属の財界出身のジョゼ・アレンカール（José Alencar）を立て、富裕層への支持を意図したことが大きかった［住田 2015: 190-191］。

ルーラの勝利は社会正義を求めた前大統領のカルドーゾによって準備されたとも解釈できるのであって、平和的な政権移譲はブラジルに民主主義が定着していることの証でもあった。驚くべきは、二〇〇三年一月の就任に外国の代表者として最初に訪問して祝意を述べたのは、キューバのカストロとベネズエラのチャベスであった［Pragmatismo Político 2016］。

6　記録映画 *Entreatos: Lula a 30 dias do poder*（幕間―ルーラ当選までの三〇日間）二〇〇四年公開、監督 João Moreira Salles。
7　ルーラ勝利の選挙運動の報道官を担当したシンジェル（ＵＳＰ教授）はルーラをポピュリストとは見ていない。仲介役としてのコミュニケーション能力に優れた人物と評している（二〇一一年のインタビューより）。

（4）チャベスのベネズエラとルーラのブラジル

二〇〇三年に野党から与党になった労働者党（ＰＴ）であるが、ルーラ大統領が選んだ三六名の大臣、長官、総裁などのメンバーの内、過半数の一九名をＰＴが占めた。副大統領にはＰＭＤＢ所属のアレンカールを置き、軍政期の野党から民政移管後は与党となったＰＭＤＢとともに、左派のＰＴが与党として政権を支えることになった。

中道右派から中道左派への変化において、経済はカルドーゾの新自由主義の路線を踏襲した。しかし外交では、ベネズエラのチャベスやキューバのカストロへの接近など、途上国重視の姿勢を打ち出した。アフリカや中東外交が開花し、「多様化」が進んだのである［子安 2013: 154-155］。

二〇〇八年六月二七日、ベネズエラのカラカスを訪問したルーラ大統領は、チャベス大統領と会談し、エネルギー、食糧、科学技術、環境、国境問題などの合意文書に署名した。とくに両国の国境地域における電力接続に関する合意が注目されるものであった。民衆の人気を勝ち得た当時のふたりの表情（**写真2**）はふたつの国家の良好な関係を見せている。

冷戦後のグローバル化やインターネットの利用などのＩＴ革命などの変化を受けて、当時のブラジル国民は、いわゆる国際規格を意識し始め、あらゆる階層が積極的に政治参加を行った。自由化、規制緩和、民営化に向けて、国民の側に中道左派のルーラを受け入れる意識改革が生まれつつあったといえよう。

チャベスやカストロにつながるポプリストとしての姿勢は、ルーラのスピーチが「庶民に理解してもらえるポルトガル語」であり、さらに故郷北東部の「庶民の語法」が同じく北東部の住民には親しみを感じさせる。この親しみが、「ルーラのために」という満足感を支持層に与えることで、指導者としてのカリスマ性が増したのである。伝統的エリート層が批判する「下品なポルトガル語」や「舌のもつれ」、庶民のいわゆる「漫談」などのコミュニケーション方法が民衆の評価としてはプラスに働いた［住田 2015: 191-192］。

ルーラ（Lula）はルイス（Luiz）の愛称であるが、姓のシルヴァは、ブラジルの植民地時代に新キリスト教徒として本国から渡ってきたブラジルに多く見られる。ポルトガル語圏アメリカとしての民族主義の強いブラジルの政治指導者として、このポルトガル系入植者の子孫という「血」は有利となった。ブラジル特有の大衆の人気を獲得するための条件である。さらに時勢に応じて柔軟に政治姿勢を変更するルーラの姿は、カストロやチャベスのみではなく、米国のオバマに接する際にも見られた。

二〇〇三年に大統領に就任したルーラは、一九八八年の民主憲法に基づく民主主義の体制を維持した。しかしベネズエラのチャベスは、二〇〇四年に明らかな体制変更を求めていた。チャベスの言葉を引用しよう。

「我々はベネズエラ社会主義共和国に向かって前進している。そして憲法の根本的な改革を必要としている」。「我々は社会主義に向かっている。そして何も、誰も、それを止めることはできない」［カラカス大使館公電、二〇〇五年一月一二日（W）：AP通信、二〇〇七年一月八日：コール 2014: 415-416］。

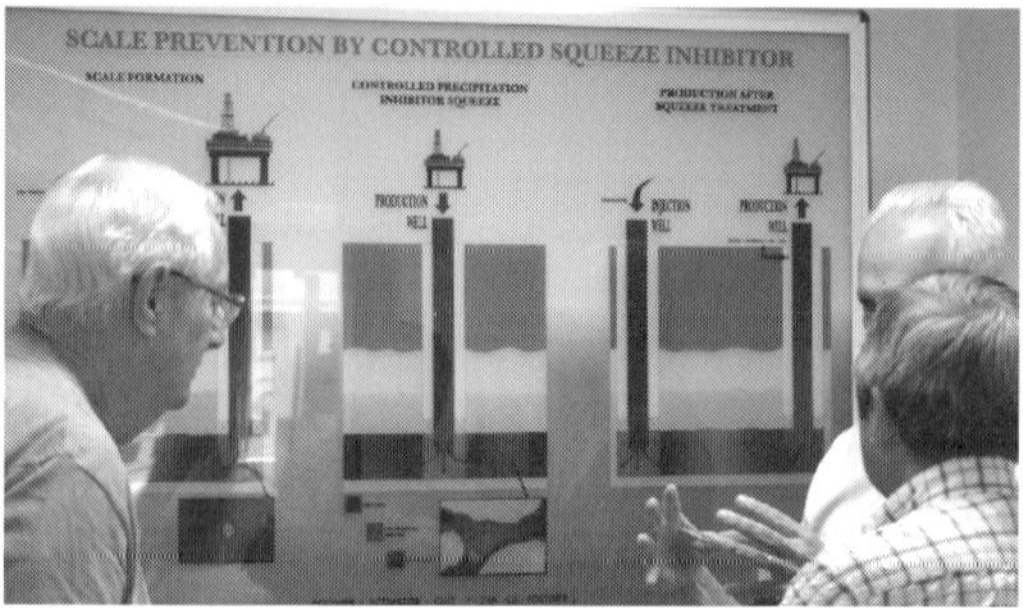

写真３　海底油田開発を支えるフルミネンセ連邦大学研究センター関係者（写真右端　筆者）

写真４　ジルマ・ルセフとマドゥロ（2015年、ブラジリアにて）
出　所：https://commons.wikimedia.org/wiki/File:Dilma_Rousseff_e_Nicol%C3%A1s_Maduro.jpg より

（5）チャベスとルーラの違い

ブラジルのルーラ政権が目指したのは「社会主義」政権ではなく、新自由主義の経済を引き継ぐ柔軟な資本主義体制であった。外交面でも、すでに述べたように、仲間を作ることを意図した多面的な姿勢であった。

もっとも「二一世紀の社会主義」のスローガンを掲げたチャベス政権については、民間企業が中心の資本主義経済であり、その経済体制は社会主義というよりも一九八〇年代までの国家資本主義に近いと指摘されている［坂口

写真5　2019年11月ブラジリアで開催の第11回BRICS会議で集う5ヶ国首脳（写真右端　ボルソナロ大統領）

出所：https://www.poder360.com.br/internacional/ao-vivo-reuniao-de-cupula-do-brics-em-brasilia/（最終閲覧日：2020年3月2日）。

2016: 163-164]。

二〇一三年三月のチャベスの死亡によって、ベネズエラの政治は後継者のニコラス・マドゥロ（Nicolás Maduro）に引き継がれた。ブラジルでは、二年の任期を終えたルーラの後を国民の直接選挙で選ばれた労働者党のジルマ・ルセフが二〇一一年に就任した。どちらも前任者のチャベス、ルーラの政策とイメージをそのまま受け入れた（**写真4**）。ジルマ・ルセフの政策はルーラ主義（ルリズモ）[8]と呼ばれた。

おわりに

ブラジルは二一世紀の石油に対するナショナリズムに固執した。二〇世紀を代表する指導者であったヴァルガスの政策であったこの姿勢をルーラも引きついだのである。

8　André Singer. *Os sentidos do Lulismo: reforma gradual e pacto conservador.* 2012, Sao Paulo, Companhia das Letras.

ベネズエラは過去、外国資本のテクノロジーとノウハウに依存した。しかしこれをチャベスは拒否した［コール 2014：414-417］。

二〇一五年八月に筆者はリオデジャネイロ州ニテロイ市のフルミネンセ連邦大学の海底油田を対象とするバイオマス・水管理研究センター（NAB: Núcleo de Estudos em Biomassa e Gerenciamento de Água）を訪問し、ブラジルの自国の技術による原油開発の実情を知る機会を得た（**写真3**）。エネルギー開発における産学共同の姿でもある。

二一世紀ゼロ年代の南米大陸のブラジルとベネズエラの良好な関係を注目してきた筆者は、二一世紀一〇年代の政治的・経済的変化を大変な驚きをもって眺めている。

社会的格差の激しいブラジルの事情を考えると、ラテンアメリカにおける経済発展重視の政策をそのまま受け入れることはできない。しかし、ベネズエラの「経済活動はほぼ機能停止」というニュースに接すると、発展のための経済政策の必要性も無視できないと考える。ベネズエラをめぐる中国やロシアが絡む外交問題も複雑であり、中国とロシアがチャベス理念継承のベネズエラのマドゥロ政権を支持し、欧米およびブラジルなどの南米各国の右派政権がベネズエラの親米派であるグアイドー勢力を支持している。また、メキシコやウルグアイなどにみられるように、キューバとは異なる立場から、外交上の不干渉主義を一貫して主張し、マドゥロ政権を支持している国もある。二〇世紀の米ソ冷戦時代とは異なる多面的な新しい構図を理解しなければならない。とくに、米ソではない、米中の対立を見ても、変化は明らかである。

ボリビアの左派のエボ・モラレス（Evo Morales）政権が事実上のクーデターで失脚し亡命を余儀

なくされ、ラテンアメリカはさらに混迷を極めている。

一九六一年八月にブラジルのゴラール副大統領が中国の北京を公式訪問して五八年後、二〇一九年一一月に習近平《シー・ジンピン》中国国家主席がブラジルの首都ブラジリアを訪問した（**写真5**）。左派のゴラールに対して右派のボルソナロであるものの、ベネズエラのマドゥロ政権を支える中国、そしてロシアの代表が南米においてブラジル大統領と同席していることが興味深い。

ベネズエラとブラジルが、共に産油国として国境を接していることは、政治的対立による緊張関係を生むと同時に、融和と協調関係を深めることで、国民や経済の交流をすすめ、ラテンアメリカ圏としての平和的な発展を望める。

映画『ＪＡＮＧＯ』の監督が述べているように、過去の出来事を知ることで、未来への賢明な道程が確保されることを願っている。


【参考文献】

キャロル、ローリー、伊高浩昭訳（２０１４）『ウーゴ・チャベス――ベネズエラ革命の内幕』岩波書店。

小島朋之（１９９９）『現代中国の政治――その理論と実践』慶應義塾大学出版会。

子安昭子（２０１３）「外交におけるグローバル・プレーヤーへの道」近田亮平編『躍動するブラジル――新しい変容と挑戦』アジア経済研究所。

コール、スティーブ著、森義雄訳（２０１４）『石油の帝国――エクソンモービルとアメリカのスーパーパワー』ダイヤモンド社。

ジュリアン、Ｆ．著、西川大二郎訳（１９７６）『重いくびきの下で――ブラジル農民解放闘争』岩波新書。

坂口安紀編（２０１６）『チャベス政権下のベネズエラ』アジア経済研究所。

住田育法（１９８４）「ポンバル時代のアマゾン地方開発戦略について」『京都外国語大学COSMICA』Ⅷ。

――（１９８６）「第二次大戦とポプリズモ」山田睦男編『概説ブラジル史』有斐閣。

――（１９９７）「ブラジル」国本伊代・中川文雄編『ラテンアメリカ研究への招待』新評論。

――（２０１６）「戦間期ブラジルの独裁政権とナショナリズムの高揚」根川幸男・井上章一編著『越境と連動の日系移民教育史―複数文化体験の視座―』ミネルヴァ書房、３１９～３４０頁。

――（２０１５）「新共和時代」伊藤秋仁・住田育法・富野幹雄共著『ブラジル国家の形成――その歴史・民族・政治』晃洋書房。

富野幹雄・住田育法共著（１９９７）『ブラジル――その歴史と経済』啓文社。

メガーズ、B.J.著、大貫良夫訳（１９７７）『アマゾニア――偽りの楽園における人間と文化』現代教養文庫。

矢野道朗編訳（１９９１）『ブラジル連邦共和国憲法　１９８８』アジア経済研究所。

ヴェーバー、マックス、脇圭平訳（２００６）『職業としての政治』岩波書店。

Ribeiro, Darcy. *O povo brasileiro: a formação e o sentido do Brasil*. São Paulo: Companhia das Letras, 1995.

Skidmore, Thomas E. *Politics in Brazil: 1930-1964 An Experiment in Democracy*, 1967, Oxford University Press, New York.

〈映画〉

ブラジル記録映画*JANGO*. １９８４年製作、監督Silvio Tendler。１９６１年からJango没年の１９７１年までの記録。

ヴァルテル・サレス監督『THE MOTORCYCLE DIARIES　モーターサイクル・ダイアリーズ』２００４年製作、イギリス・米国合。監督Walter Salles。


〈ネット記事、論説、写真〉

Foreign Policy (2015), "The Sad Death of the Latin American Left," December 10, 2015.
https://foreignpolicy.com/2015/12/10/venezuela-brazil-chavez-maduro-rousseff-lula/〔最終閲覧日：２０２０年３月２日〕

日本経済新聞（2020）「ブラジル、陸路での出入国を制限　欧米航空便は容認」２０２０年３月30日付。
https://www.nikkei.com/article/DGXMZO57050630Q0A320C2000000〔最終閲覧日：２０２０年３月30日〕

PDT "Jango E A China: Um Legado Socialista De Paz E Amizade".
https://www.pdt.org.br/index.php/jango-e-a-china-um-legado-paz-e-amizade/〔最終閲覧日：２０２０年３月２日〕

Poder 360 "Ao vivo: Reunião da cúpula do Brics é realizada em Brasília".
https://www.poder360.com.br/internacional/ao-vivo-reuniao-de-cupula-do-brics-em-brasilia/〔最終閲覧日：２０２０年３月２日〕

Pragmatisimo Politico (2016), "Como foram as visitas de Fidel Castro ao Brasil.", 26 de novembro ole 2016.
https://www.pragmatismopolitico.com.br/2016/11/como-foram-as-visitas-de-fidel-castro-ao-brasil.html〔最終閲覧日：２０２０年３月２日〕

Tribunal Superior Eleitoral (2002), "Resultados das eleições 2002".
http://www.tse.gov.br/eleicoes/eleicoes2002/instrucoes/inst_2002.html〔最終閲覧日２００２年11月8日、現在は閲覧不可。〕

第7章　メキシコの不干渉主義の今日的意義
――対米協調とベネズエラとの外交展開

牛島　万

はじめに

メキシコでは、一九三〇年頃に確立されたエストラーダ主義という、他国の内政への不干渉主義の理念が根強く継承されている。メキシコによるベネズエラのマドゥロ（Nicolás Maduro）政府承認をめぐっては、「不干渉主義」（内政不干渉）というカードを出しつつ、実質的にはマドゥロ政権を承認しているに等しいわけである。これは、ロシア、中国、キューバ、ニカラグアなど、総じて反米的とされる社会主義国家およびこれに準じる左派政権がマドゥロ政権を支持していることと何ら変わらない。しかし、異なることは、米国との協調（見方によっては半ば従属しているともとれる）にメキシコは重点を置いていることである。具体的にいえば、米国とメキシコはカナダとともに、一九九四年一月一日以来、北米自由貿易協定（NAFTA、スペイン語ではTLAN、以下NAFTAとする）の加盟国であり、米国中心の新自由主義経済やグローバリゼーションの傘下にメキシコは入っている。さらに二〇二〇年七月一日に新NAFTAである米墨加協定（USMCA、スペイン語ではT-MEC、以下T-MECとする）を発効し、米国とメキシコの経済はこれまで以上に密接な関係に置かれるであろうし、実際のメキシコの権益を考えると、米国と距離を置いて、経済だけでなく政治的にも反米に出ることは有効な選択肢とはいえない。地政学的にも厳しいものがある。ならば、現在のメキシコが不干渉主義を放棄すればよいのだろうが、それを重んじ続けているのはなぜか。とくに、メキシコ現政権においてはとくにその性格が強いとされている。このような国が現状ではメキシコ以外に見られないだけに、同国の特異性となっているのである。さて、メキシコが不干渉主義を掲げ、マドゥロ政権を支持するメリットはどこにあるのだろうか。本章では、現在のベネズエラ（ベネズエラ・ボリーバル共和国）に対するメキシコの不干渉主義の今日的意義について考えてみたい。

1．不干渉主義はどうして生まれたか

（1）一九一七年憲法の骨子と性格

メキシコ革命（一九一〇～一七年）の世界史的意義を考えた際に、その帰結である一九一七年憲法（現メキシコ憲法）の理念は、当時としては極めて画期的であったことがわかる。一つには教育や労働者に関する権利（一二三条）が世界で初めて憲法に規定されたことである（ドイツ・ワイマール憲法では社会権が初めて規定された）。また、同憲法二七条に見られるように、土地が国家に帰属し、水および資源は国家の財産であるという規定は、アジアやアフリカを中心に、地球上の大半の国が植民地であった当時、ラテンアメリカの多くは独立していたが、その実態は半植民地的状況にあっただけに、メキシコの一九一七年憲法は、おそらく称賛に値する斬新かつ画期的な憲法であったに違いない。メキシコは、これに後続する植民地状況にある国や国民のモデルであったはずである。メキシコの場合、スペインから独立した一八二一年以降も一九世紀において米国やフランスの侵略を受け、一八六四～六七年にはオーストリア大公マクシミリアン（Maximiliano I）による統治を経験し、これ以外でも経済的に半植民地的な従属を恒常的に甘受してきた。この当事国が、そこからの脱却を目指して憲法を発布したことはまさに一大決心のもとで行われたとみて間違いない。

加えて、独立後のメキシコが植民地時代の負の遺産を受け継いでいたとよくいわれるのは、カトリック教会の勢力がそのまま保持されていたからであった。これはメキシコに限ったことではなく、スペインをはじめ、スペイン系アメリカ地域において、概してカトリック教会は近代化への改革にお

ける大きな障壁であり続けた。それは聖職者に特別に認められていた徴税権や裁判に関する特権（フエロ）および土地の所有権の問題であった。一九一七年憲法二四条、主として一三〇条では政教分離が謳われている。また、二七条では土地の所有権について規定されている。一九三〇年代のカルデナス大統領（Lázaro Cárdenas）は石油の国有化を実現させ、かつ土地なしの農民や先住民にエヒードという共有地を無償で与えた。メキシコ革命はいわゆる社会主義革命ではなかったが、きわめて社会主義的改革の側面を有する。それは、純粋なブルジョワ革命（市民革命）ではなく、農民革命であり、同時に萌芽的な労働者の権利獲得のための社会革命であったといえるからである。このような背景をもつメキシコがその後特異な国へと変貌していくことはごく自然の成り行きであったのかもしれない。

(2) エストラーダ主義の展開

メキシコ独自の外交理念である「不干渉主義」はエストラーダ（Genaro Estrada）外相によって一九三〇年頃に打ち出された。このエストラーダ主義は、今日までメキシコ外交の基本理念であり続けている。

一九三〇年代にはメキシコをめぐって大きな事件が起こっている。それは、スペイン内戦とメキシコの石油の国有化である。メキシコ革命とスペイン内戦（一九三六〜三九年）を比較するとわかるが、スペイン内戦でフランコ（Francisco Franco）による右派軍部のクーデターで人民戦線派は敗北した。カルデナス政権のときがちょうどスペイン内戦期に当たるが、カルデナスはスペイン人民戦線政府を支援した。メキシコ革命憲法である一九一七年憲法が謳っている土地の所有権についても実際に改革が大きく進展したのが、このカルデナス期のころであった。また、同政権では革命憲法が提唱していた地下資源の国有化、とりわけ石油の国有化宣言を実行に移したという点で、メキシコ史上極めて重要な一大事件であり、これをもってメキシコ革命の一定の完成をみたともいえる。従って、これとは真逆にある大土地所有制を支持する保守伝統派と共謀するスペインのフランコを支援することは、メキシコの政治理念上できなかったという経緯がある。そのため、敗北し行き場のない人民戦線派の亡命者をメキシコは積極的に受け入れた。その数は一九三九〜四一年で少なくとも二万五〇〇〇人といわれている［Milenio 2019］。一国の受け入れ人数としてはかなり多い。そして、この時に不干渉主義がメキシコの大義名分に掲げられたのである。メキシコの不干渉主義とは他国の内政問題に干渉しないという文字通りの意味だけではなく、特定の政治的自由を尊重し支援することまでを含んだ概念であったといえよう。他方、このような不干渉主義は、メキシコ政府が国際社会からの完全な孤立や非難を回避するための、いわゆる自国に対する防波堤のような役割も担っていたと考えられる。

さらに六〇年代メキシコではその特質が顕著となる。キューバとの関係で国際的に独自の路線を展開する。一八九八年米西戦争でキューバによるスペインからの独立戦争に米国が介入した結果、キューバは米国の保護国になった。その後比較的短い期間で、独立を認められたが、米国の傀儡政権とでもいうべき親米のマチャード（Gerardo Machado y Morales）、その後のバチスタ（Fulgencio Batista y Zaldívar）がキューバを支配する。バチスタの強権政治を打倒しようと、一九五三年にフィデル・カストロ（Fidel Castro）はモンカダ兵営を襲撃しクーデターを起こしたが、これは失敗に終わった。二年後の恩赦によりカストロたちの亡命が認められたが、彼らの亡命先はメキシコであった。当時のメキシコ市は世界中の亡命者や左翼の集結する場所と化していた。トロツキー（Leon Trotsky）もその一人で、メキシコへ亡命しメキシコ市で暗殺された。さて、フィデル・カストロはアルゼンチン人のエルネスト・チェ・ゲバラ（Ernesto "Che" Guevara）とここで出会う。彼らは意気投合し、一九五七年にふたたび革命のためにキューバに潜伏する。一九五九年、バチスタ政権を倒し、遂にカストロたちは革命政権を樹立した。バチスタの亡命を受け入れたのはスペインのフランコ政権であった。しかし、カストロは二年後の六一年に社会主義を宣言することになる。さらに一九六二年、ソ連フルシチョフ（Nikita Sergeyevich Khrushchev）がキューバにミサイル基地を建設しようとしていることが確認されると、米国のケネディー（John F. Kennedy）大統領はキューバ周辺の海上封鎖とミサイル撤去の要求を行い、いわゆるキューバ危機（ミサイル危機）が一〇月二二日に起こった。核戦争の勃発も危ぶまれ、まさに緊迫する一三日間を世界中が固唾を呑んで過ごすことになったのである。しかし、賢明な両国の交渉の末、同年一〇月二八日、キューバを米国の勢力圏に入れないこと、またトルコにあるＮＡＴＯ（北大西洋条約機構）の軍事基地のミサイルを撤去することを条件に、ソ連はキューバからのミサイル撤去に応じ、この危機を脱した。

メキシコはすでにカストロ政権を承認しており、一九六二年の米州機構からのキューバ除名では棄権し、さらに六四年のキューバへの制裁にはラテンアメリカの中で唯一反対し、独自の政治的主張を標榜していた。メキシコはキューバとの国交を維持する反面、フランコ・スペインとは一九三九〜七五年まで国交を断絶していた。

（3）もう一つの「顔」——親米的なメキシコ

以上がメキシコの一つの「顔」である。しかし、もう一つ別の「顔」は当時すでに見ることができた。それは、米国との協調関係を重んじるメキシコの姿であった。政治的自由や不干渉政策の下で、キューバのカストロ政権を支持し、また第三世界の非同盟諸国との外交を展開するという勢いを見せ、その一方で、「北の大国」と一定の距離を取りつつも、着実に対米協調への道を歩んでいたのであった。また国内では、当時の世界中がそうであったように、メキシコの場合も、社会主義や反政府運動などで社会は混乱していた。社会主義国ではないメキシコが、キューバを承認するには理由があった。それは政府に対する抗議デモや暴動を、メキシコの政治的自由の尊重という理念を盾に、どうにか鎮静し封じ込め、政府の求心力を高めようとする狙いがあったと考えられる。その矢先に、米国大統領のケネディーがメキシコにやってきたのである。それはキューバの社会主義宣言の翌年の一九六二年六月のことであった。米国大統領によるメキシコへの公式訪問はまれなことで、アイゼンハワー（Dwight David Eisenhower）に次いでケネディー大統領が歴代二人目であった。どうしてケネディー大統領はこの時期にメキシコ市を公式訪問することになったのであろうか。それはあとになってわかることだが、米墨両国が一世紀以上にわたって未解決のままであったエル・チャミサルの国境紛争が両国の和解をもって解決されたのである。では、ここで、エル・チャミサル問題とは何かについて、少し歴史をさかのぼってふりかえってみよう。

米墨戦争（一八四六〜四八年）に敗れたメキシコはグアダルーペ・イダルゴ条約でリオグランデを米墨国境として定められていた。しかし、約三〇〇〇キロにわたる米墨国境の半分に当たるマタモロスの河口からテキサスのエル・パソまでは、リオグランデが国境線であるが、テキサスのエルパソからカリフォルニアに向けて引かれた境界線をめぐってグアダルーペ・イダルゴ条約以降に問題が起こった。測量調査の結果、グアダルーペ・イダルゴ条約の際に用いられた地図が不正確で実際と大きく異なっていたため、ラ・メシージャ地域を米国に売却することになったのである。同地域に米国がなぜこだわっていたのか。それは地下資源が埋蔵されている可能性が高かったからだといわれている。このときのメキシコの大統領が一九世紀メキシコを代表するカウディーリョ（地方首領）であるサンタアナ（Antonio López de Santa Anna）であった。彼はテキサスの分離独立（一八三六年）を承認したときもそうであったが、国民から「売国奴」として非難、罵倒された。ラ・メシージャの売却は一八五三年のことであった。

しかし、米墨関係はその後も境界線をめぐって一九六〇年代までのおよそ一世紀の間紛争が続く。リオグランデはメキシコ側ではリオブラボ（Río Bravo）といわれるが、その名のごとく、まさに激しい荒川であった。大洪水によって、国境線をなしていた河川の流れが変わることは多々見られた。とりわけ、テキサスのエルパソとメキシコのシウダー・フアレスのあたりのリオグランデの氾濫による河川の変更は領土問題へ発展していた。すでにそれは一八六〇年代から起こっており、二〇世紀に入って洪水による河川の急激な変更によって、深刻な国境紛争となっていた。メキシコは米国に対し頑なに第三国の仲裁と国際法に基づく解決を要求してきたが、米国側はこれを拒否し続けてきた。これが解決をみたのは、まさにケネディーがメキシコを訪問したときだったのである。メキシコのロペス・マテオス大統領（Adolfo López Mateos）との協議で、チャミサル問題は急速な解決をみた。新境界線を画定し、そこに沿って新河川を建設する大規模工事に着手し、そのための費用においては両国の金銭的負担を分かつことになった。ケネディーの暗殺以降は、米国のジョンソン（Lyndon Baines Johnson）大統領とロペス・マテオスが押し進めた。係争地域であったエル・チャミサルを両国友好記念公園として再開発し、ここに両国はその友好関係を固く誓ったのだった。メキシコ国内においては、米国の譲歩とメキシコの勝利を称え歓喜したのであった［大泉・牛島 2005: 73-78］。

しかし、メキシコが社会主義国キューバと一線を引くことを象徴する一大事件が起こったのもこの頃である。それは一九六八年一〇月二日に起こったトラテロルコ事件である。メキシコ政府の権威主義を象徴する形で、左翼系の反政府運動を鎮圧したのであった。大学生を中心とする反政府派がメキシコ市の三文化広場に集まっていた。その数は、五〇〇〇人とも一万二〇〇〇人ともいわれている。すでにメキシコ国立自治大学（ＵＮＡＭ）やメキシコ国立工科大学（ＩＰＮ）の学生を中心に与党である制度的革命党（ＰＲＩ）の政策に反発していた。当時は世界的にも学生運動が高揚していたが、ベトナム戦争における反米や反戦運動に触発されて、このような学生運動が激化していた。またメキシコの反政府運動のシンボルとして歴史上の革命家であるエミリアノ・サパタ（パンチョビジャ、Emiliano Zapata）もシンボル化されていたが、同時代のキューバ革命の革命戦士であるフィデル・カストロやチェ・ゲバラに対する若者のあこがれも少なからず学生運動を刺激していった。またフランス五月革命やプラハの春も世界に衝撃を与えていた。左翼系学生を中心にカストロを信奉する支援者による七月二六日のデモ行進は、すでにディアス・オルダス（Gustavo Díaz Ordaz）大統領の命令で軍によって鎮圧されていた［Martín 2020］。

九月一日、ディアス・オルダス大統領は法や秩序を乱す暴力行為は国家反逆罪としていかなる手段を講じてでも阻止することを公言した。九月一五日の独立記念日には大学の自治を主張して決起したため、同月一八日、学生運動が激化するＵＮＡＭの周辺を軍の戦車が包囲した。約一五〇〇人の学生や教員が逮捕された。当時のＵＮＡＭ総長であるバロス・シエラ（Javier Barros Sierra）も大学の自治を主張して政府に抗議していた一人で、学生を誘導した人物として政府の標的にされた。二四日、軍はＵＮＡＭの学生との衝突で三〇〇人の逮捕者、四〇数人の負傷者、一五人の死者を出した［México desconocido 2020］。

こうして一〇月二日のトラテロルコの夜を迎える。メキシコ人ジャーナリストのエレナ・ポニアトウスカ（Elena Poniatowska）の『トラテロルコの夜』（*La noche de Tlatelolco. Testimonios de historia oral*）（一九七一年）やさまざまな目撃証言によって、近年、次第に真相が明らかになってきている。突然、狙撃隊による無差別発砲が始まり、多くの犠牲者が民間人から出た。翌日の新聞で発表された死者二九人、八〇人以上の負傷者という数値は事実とは程遠かった。三五〇とも四〇〇とも、あるいはそれ以上ともいわれているが［Aristegui Noticia 2013］、詳細は不明のままである。学生以外に、子供や家族など全く学生運動とは無関係であった市民や外国人ジャーナリストなども含まれていた。多くが武装化していない民間人であった。夕暮れ時から無差別攻撃は二時間半ほど続いた。一体何百人が亡くなったのか、またどれだけの人が負傷し不当な逮捕をされ投獄されたのかも定かではない。今尚闇につつまれたままである。

（4）メキシコの輸入代替工業化政策の盛衰

七〇年代の左翼ゲリラや反政府派に対しては、真っ向から対抗する姿勢を政府は示していた。それでも経済的には、非同盟国家との第三外交にも精力的で、米国との一定の距離を保っていた。七〇年代にメキシコが輸入代替工業化によって飛躍的な発展を遂げることができたのは、一つには民族資本である自国の石油が第二次石油ブームによる輸出向けの産業として成長していたからであった［楠 2003］。メキシコはＰＲＩによる一党独裁下で、国家主導型のコーポラティズム体制で国内産業が統合され、これが外国資本と連携することでその近代化を目指していた。ところが、輸入代替工業化によって生じた累積債務の肥大化、経常収支赤字、財政赤字、ハイパーインフレーションによって、これまでの輸入代替工業化のシステムを続行することはきわめて厳しい状況にあった。一九七〇年末に外国からの借款は二九〇億ドルだったが、七八年末に一五九〇億ドル、八二年までに三二七〇億ドルに達していた［Sims 2013］。加えて、七〇年代を通じて世界経済は下降傾向にあり、一九七九年には米国がデフォルト（債務不履行）を起こし、大不況に陥る。米国国債売りが進み、連邦準備制度（ＦＲＳ）が利子率を上げたため、債務国の借り入れコストが大幅に上昇した。世界の商品価格が下落したため、デフォルトが起こった。ラテンアメリカでは、それは一九八二年にメキシコで起こった。その後デフォルトはブラジル、アルゼンチンにも「飛び火」し、一九八〇年代が「失われた一〇年」といわれる所以はそこにある。

こうして一九八二年の債務危機は、メキシコがこれまで行ってきた国家主導型の経済体制に終止符を打つことを余儀なくさせた。これ以降、米国の利害関係と密接に結びついている国際通貨基金（Ｉ

MF）や世界銀行の支援を受けて米国型の新自由主義政策への転換がメキシコへ求められたことになる。メキシコは債務返済のために構造改革と緊縮財政政策を断行せざるを得なかった。

このように八〇年代のメキシコは経済危機とその後の米国への従属性に象徴されるが、それでも不干渉主義はその成否の瀬戸際のところで続けられた。それは中米地域の内戦における平和的解決に尽力したことである。紛争解決の多元化を図ろうとして、メキシコをはじめとするラテンアメリカが結束したのである。これについては、3節で検討する。

2. NAFTAの功罪

(1) 所得・購買力・貧困・所得格差

一九八〇年代のラテンアメリカは「失われた一〇年」とよくいわれる。メキシコの場合は一九八二年に債務危機が起こり、それまで築いてきた独自の近代化政策は完全に失敗に至り、その後は債務返済と、それを円滑に行うための構造改革、金融改革を余儀なくされた。構造改革については、それまでの経済構造を解体し完全に新しいものに強制的かつ短期的に作り替えることを半ば強要されたメキシコにとっては、屈辱の時代の幕開けとなった。新自由主義経済を導入し再建を行ってきたが、そのために犠牲になった部分も多かった。公務員の削減、給料削減、民営化（国営企業の八五％が民営化された）、金融の自由化、通商の自由化などの改革を実行した［ロペス・ビジャファニェ 2017: 232］。対ドル五〇％の平価切下げを実施した。実質GDP（国内総生産）は、八二年にマイナス三％、八三年にマイナス六%、八四年から八九年にかけて全体にマイナス一一%となった。また実質賃金は一九八四年から八九年にかけては三〇%減［Brinke 2013］、また別のデータでは、最低賃金の平均購買力は、八〇年代は七〇年代の五五%減であった［Franco 2011］。

しかしその甲斐があって、総じてメキシコ経済は八〇年代後半までに回復し、八八年からのサリナス（Carlos Salinas de Gortari）政権の時期にはNAFTAに加盟する準備が着実に進められていった。NAFTAは一九九四年一月に始まり二〇二〇年六月までの二六年間続いたが、NAFTAはメキシコにどのようなメリットを与えたのであろうか。多くの識者はこれに否定的な見解を述べている。二〇一〇年を基準とすると、八〇年代の一日の平均最低賃金は一二三・五ペソ、九〇年代は六四・五ペソ、二〇〇〇年代は五五・七ペソへ低下していった［Franco 2011］。

実質賃金はどうか。国連ラテンアメリカ・カリブ経済委員会（ECLAC）によると、一九九四年を基準に、実質賃金はNAFTAが始まった一九九四年から九六年にかけて二一・二%下落し、その後賃金は二〇〇五年まで回復しなかった。二〇一二年までに一九九四年レベルを二・三%上回るまでに回復したが、一九八〇年代の水準にもどることはなかった［松下 2019: 132］。一九八二年を基準として、八二年から九六年までに実質賃金は八〇%減であった［ロペス・ビジャファニェ 2017: 236］。

二〇〇〇年から二〇一八年にかけてのメキシコの労働者の平均最低月給は一〇〇ドルから一五〇ドルの間にあったが、かつては世界でも最も所得が低かったとされる中国人労働者の最低賃金よりも低くなった。中国人の賃金は二〇〇九年をさかいにメキシコ人のそれに達し、二〇〇〇年の一一〇ドルから、二〇一八年には二五〇ドルに増えている［López Obrador 2020: 48-49］。最近のメキシコの最低賃

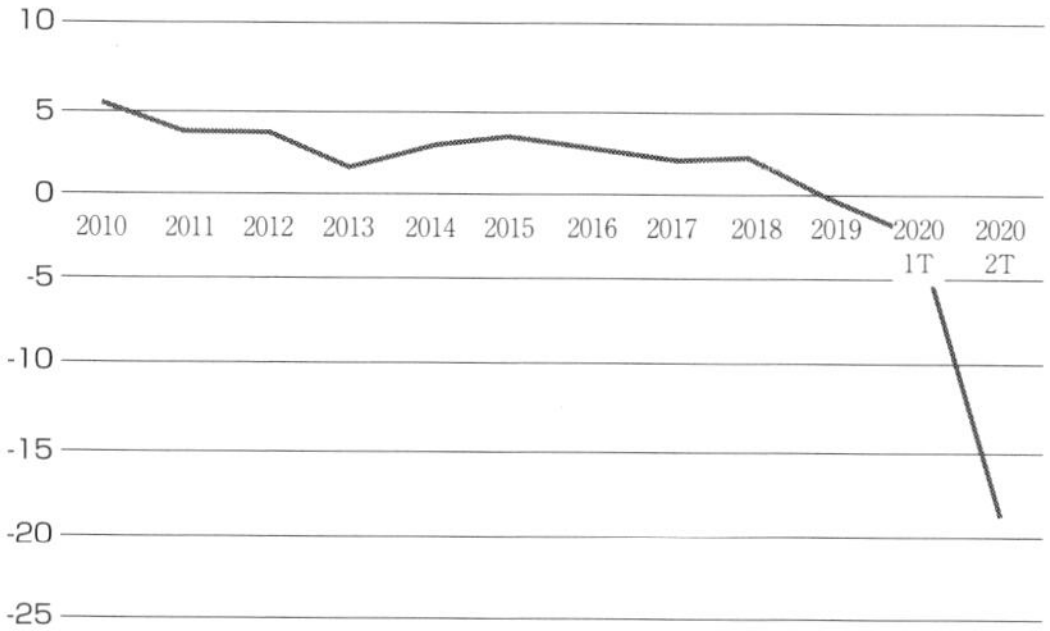

図１　実質 GDP 成長率（2013 年基準）

出所：メキシコ統計地理情報院（INEGI）

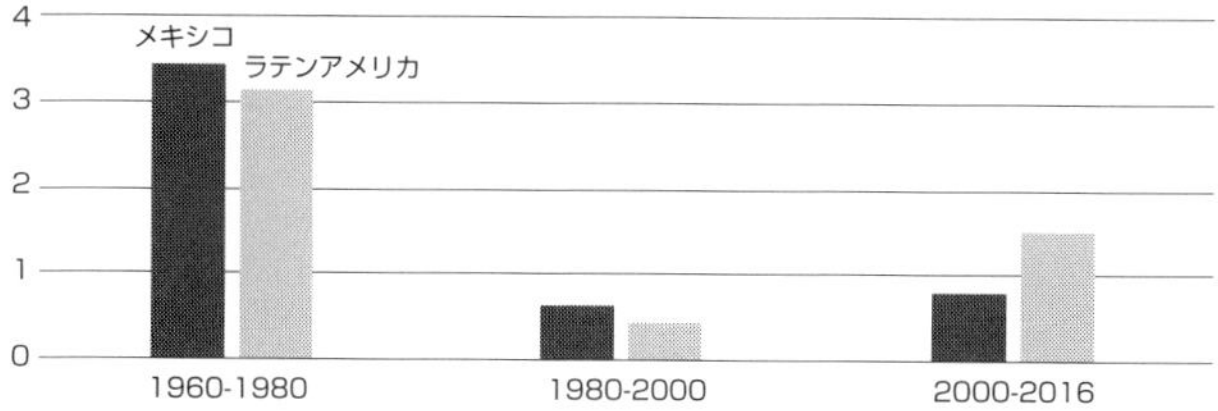

図２　実質 GDP 成長率（メキシコとラテンアメリカの比較、%）

出所：CEPR ほか、*El PAIS*, 16 de agosto de 2017.

金は日当一〇二・六八ペソで、ラテンアメリカの中でも最下位国の一つである。一ヶ月の最低賃金は中米三ヶ国と比べても低いという驚くべき事実が存在する。グアテマラ（七四四四ペソ）、ホンジュラス（七二七四ペソ）、エルサルバドル（四七二九ペソ）に対し、メキシコは三〇八〇ペソである［Nación 321 2019］。

これにともなう最低賃金の購買力は七〇％下落している。メキシコ国立自治大学経済学部マルチディシプリン分析研究所（CAN）によると、三六年前の最低賃金の購買力がトルティージャ（すり潰したトウモロコシから作る、伝統的なメキシコ・中米の先住民の料理）五一キロ分だとすると、現在はそれがトルティージャ六キロ分に匹敵し、購買力は八八・七％減となっている［López Obrador 2020: 49-50］。また、二〇一〇年代のメキシコの最低賃金の購買力は九〇年代の一四％減である［Franco 2011］。

また、一人当たりのGDP年平均成長率については、ラテンアメリカ全体が八〇年代の失われた一〇年より以前の六〇〜七〇年代の輸入代替工業化の時代の方が高い。その後、現在に至るまでラテンアメリカ全体がその頃の成長率に戻っていない。メキシコはなかでも最も成長率の低い国の一つである［**図1**］。IMFによると、一九九四年から二〇一三年まででおよそ二五・〇％の成長であったが、年平均成長率は〇・九％で、メキシコの成長率は二〇ヶ国中一八位である［松下 2019: 128-129］。

メキシコ国立統計地理情報院（INEGI）の統計では、二〇〇九年のマイナス五・三％から二〇一〇年にはプラス五・一％へ急上昇したものの、その後、二〇一三年のプラス一・四％を除いて二％から三％の間を保っていた[1]［**図2**］。だが、二〇一九年にはマイナス成長、さらに二〇二〇年はコロナ禍の影響で過去最大の下落幅となっている[2]［Jetro 2020; Zuckermann 2020］。

では、貧困の問題はどうか。メキシコの人口のおよそ四割は年間所得が貧困ライン以下にあるといわれている。その約五五％が極貧困である［López Obrador 2020: 51］。別のデータでは、四八・八％の六一一〇万が貧困で、一六・八％の二一〇〇万が極貧である[3]。

貧困と合わせて問題視されているのが貧富の格差、所得の格差である。現状では、トルコ以上にメキシコの状況は最悪であるといわれている［Keeley 2018:31］［**図3**］。また、高校卒業の学歴の女性は同等の学歴の男性よりも、三ヶ月分の給料が三一％少ない。大卒の女性は三三％少ない。大学院卒は四四％少ない。次に年齢別でみると、二〇〜二九歳の女性は同じ男性よりも三三％少ない。三〇

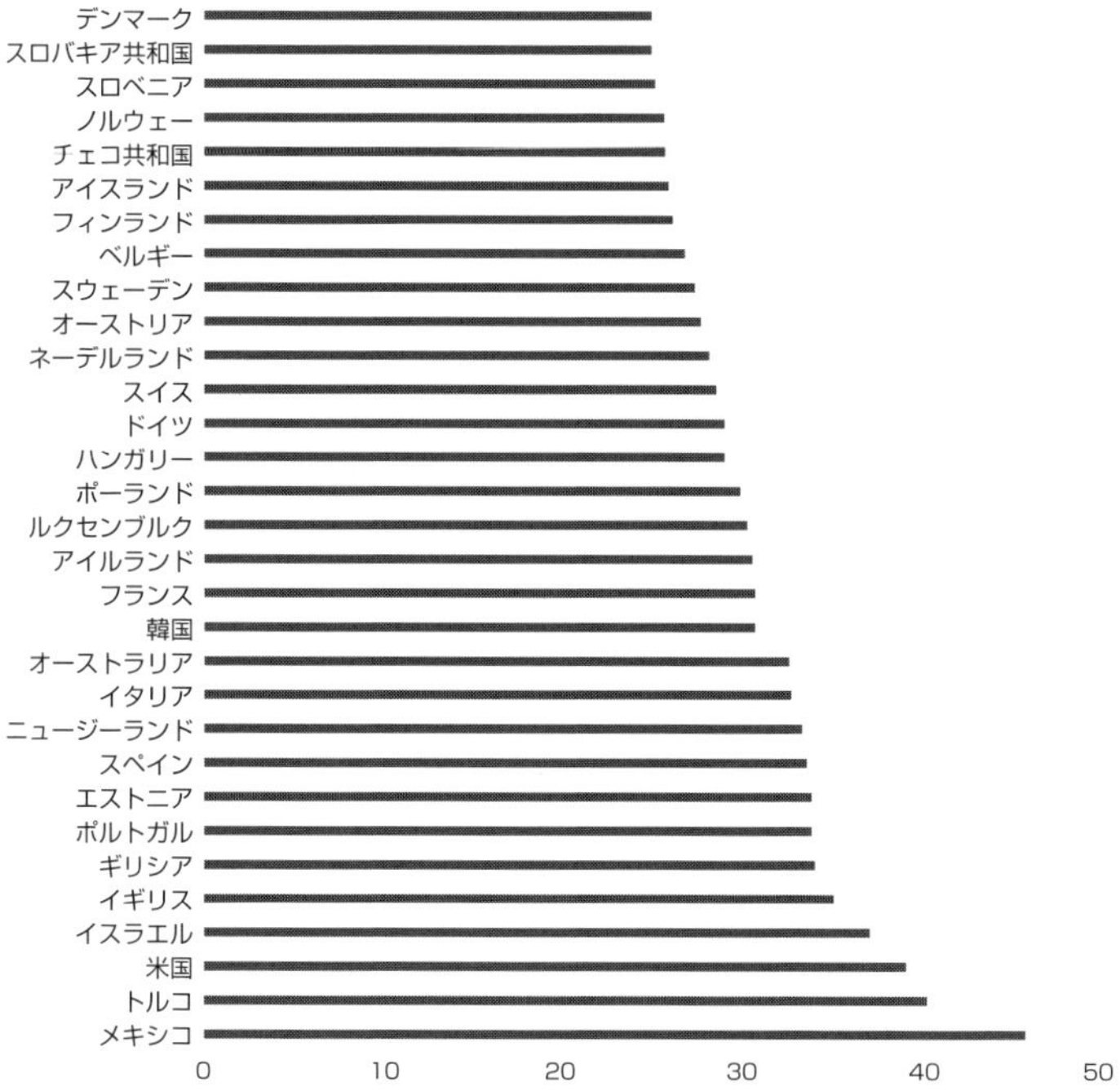

図３　OECD 加盟国における所得の不平等格差（ジニ係数）
出所：Keenley (2018).

〜三九歳の女性では三八%少ない。六〇歳以上になると、これが四七%差になる [Barragán 2019]。また、経済協力開発機構（OECD）によると、メキシコの男女の所得格差は二三%である [Luis Ramos 2020]。

1　実質DEP成長率（%）は、五・一（二〇一〇）、三・七（二〇一一）、三・六（二〇一二）、一・四（二〇一三）、二・八（二〇一四）、三・三（二〇一五）、二・六（二〇一六）、二・一（二〇一七）、二・二（二〇一八）、〇・三（二〇一九）である。

2　INEGIによると、二〇一九年の国内総生産は〇・一%減で、これは最近一〇年間の中でメキシコの最悪な数値である。しかもコロナウイルスの影響で、一二五〇万人の雇用が失われる可能性が出てきた。https://www.elimparcial.com/columnas/Fracaso-estrepitoso-de-la-4T-en-la-economia-20200802-0180.html

3　https://dineroenlinea.mx/blog/la-pobreza-en-mexico-situacion-actual-2019

表1　メキシコの輸出と輸入（2016）

	輸出		輸入	
貿易相手国	ドル（100万）	%	ドル（100万）	%
北米	256,730.9	83.8	155,736.4	48.7
米国	248,077.1	81.0	147,749.0	46.2
カナダ	8,653.7	2.8	7,987.5	2.5
ラテンアメリカ統合連合（ALADI）	10,279.2	3.4	7,940.2	2.5
中米	3,989.4	1.3	1,757.6	0.5
EU	15,749.0	5.1	34,942.4	10.9
欧州自由貿易連合（EFTA）	612.1	0.2	1,544.2	0.5
新興国	3,423.4	1.1	18,207.1	5.7
日本	3,099.8	1.0	14,571.2	4.6
パナマ	752.5	0.2	44.0	0.0
中国	4,225.8	1.4	57,833.3	18.1
イスラエル	163.6	0.1	592.3	0.2
その他	7,206.2	2.4	26,426.8	8.3
計	306,231.9	100	319,595.4	100

出所：Carbajal Suárez and Carrillo Macario (2017).

（2）対米依存の現状と背景

二〇一四年には米墨間の貿易総額は五三四〇億ドル、これは米国とラテンアメリカの総貿易額の六〇％に当たる。メキシコで生産されたものの三分の一が米国へ輸出されていることになる。主たるものは自動車などの製造業である［ロペス・ビジャファニェ 2017: 234］。米国への輸出がGDPの二八％を占めるほど対米依存の構造が出来ている［松下：123］。二〇一六年においては、メキシコの輸出全体の八三％が対米向け、輸入全体の四八％が米国からである［Carbajal Suárez and Carrillo Macario 2017: 5］[4]［**表1**］。赤字は一九八〇〜八二年で年間六億九四〇〇万ドルであったが、二〇〇一〜〇三年では三〇億五五〇〇万ドル、二〇一一〜一三年では四三億六五二〇万ドルである［López

Obrador 2020: 107][5]。

このように米国への従属経済の構造では、輸入のために多くを支払い、安価な労働賃金で多くの輸出品を産出するという不均衡構造が生まれている。

農業ではどうか。いわゆる弱者の擁護を大義にかかげていたはずの、あのメキシコ革命は死んだのか、という問いに一言で回答することは難しい。しかし、メキシコがそれまでの革命精神から大きく逸脱したのではないか、としてよく引用されるのが、一九九三年の一九一七年憲法第二七条の土地所有の条項の改正である。共有地の一部売買が法的に認められたのである。現在、国土の九割を六七〇〇万人の小農が所有する。このうち三一〇〇万人がエヒダタリオ（村落共同体の政府所有の共有地で使用権を有する者で、一九一七年憲法二七条の規定による）である。一〇一万八〇〇〇人が共同所有、一九〇万人が個人所有、六八万五〇〇〇人が占有者である [López Obrador 2020: 105]。

メキシコの革命精神は死んでいないことを主張し擁護する者は、この規定は決して大土地所有制を肯定したものではないことを力説する。しかし、一九一七年憲法が修正されたことは決して軽視できない。一九九四年のＮＡＦＴＡの開始はメキシコ憲法が法的擁護の対象としてきた小農やエヒード農民の土地の権利擁護よりも、新自由主義やグローバリゼーションにおける競争原理や利潤、効率が優先されたのである。まさに米国のアグリビジネスが優先されたことになる。米国の補助金を受けた穀物である豆、米、トウモロコシなどの安価な主食類がメキシコ市場に流れ、それまでのメキシコの伝

4　農産品に限ると、二〇一八年では、対米輸出は七七%、米国からの輸入が七〇%である。宮石（二〇二〇）四頁。

5　米国の対メキシコの貿易収支の赤字は中国に次いで第二位である。宮石（二〇二〇）一二頁。

統農家の生産物は市場経済の競争に敗れていった。メキシコ人の主食であるタコスなどのとくに食用の白色トウモロコシはメキシコ国内での自給自足率が高いものの、家畜用やエタノール用とされる黄色のトウモロコシについては早くから米国産へ依存することになった［松下 2019: 138; 宮石 2020: 5］。しかし、一九九四年以来、米国産の安価なトウモロコシがメキシコ市場に流入し、その価格は七〇％下落した。その黄色トウモロコシの価格下落は白色トウモロコシの価格低下にも影響を与えた。加えて、二〇〇八年にはトウモロコシの保護関税が、豆類、ミルクとともにその対象から外されたため、食用を含めたトウモロコシの自給率の低下を生んでいる［ロペス・ビジャファニェ 2017: 238; 松下 2019: 138-9］。一九九四〜二〇一五年で、メキシコに食糧輸入が三五七五億七〇七〇万ドルであったが、毎年これらの農産品を購入するのに一六二億五三二〇万ドルが必要で、毎年の赤字は二七億六〇〇〇万ドルであった。基本食糧（トウモロコシ、フリホーレス豆、小麦、米、モロコシ、ダイズ）は過去六年で一億二〇〇〇万トン輸入している［López Obrador 2020: 107-8］。

農牧業従事者は一九九三年に八八四万二七七四人、二〇〇三年に六八一万三六四四人、二〇一六年には六五三万七一八〇人にまで下がった。そこでトウモロコシ農民など農業失業者や貧困者はメキシコ市をはじめ国内の大都市への移住、さらには米国への移住を余儀なくされたのである。以前移民は米国から比較的近いメキシコ北部か中央部の出自者で占められていた。しかし、この二〇年間で、ベラクルス、タバスコ、チアパスなどの南東部から、またとりわけ若年層が北へ向かっている。このように、米国の農民がＮＡＦＴＡによって恩恵を受けた反面、一番のしわ寄せはメキシコの零細農民であったといわねばならない［López Obrador 2020: 108-9］[6]。

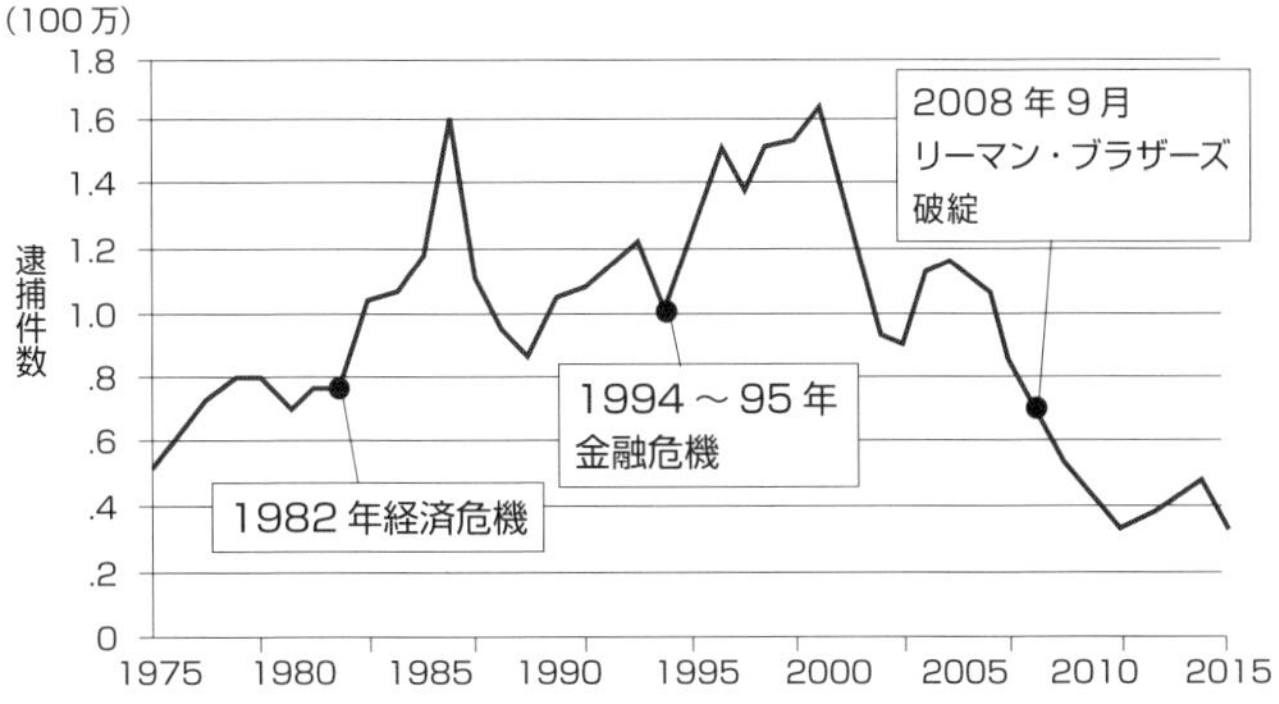

図4　メキシコから米国への非合法入国
出所：米国安全保障省より。

（3）米国への人口移動

ＮＡＦＴＡは米国農民を擁護するかたわら、メキシコの零細農民を路頭に迷わせた。競争に敗れた零細農民は自分の土地や住んでいた場所を捨て、仕事を求めて都市へ移動し居住する。しかしその受け皿には制限があり、やがて米国への不法入国を試みる。すべてが失業者とは限らない。低賃金の者が賃金やその他の労働条件を求めて越境を試みたのである。

すでに八二年の債務危機以降、米国への不法入国者は急激に増加した。しかし、一九八六年の米国の不法移民の取り締まり強化の影響（一九八六年移民改正・管理法ＩＲＣＡ）で急激に減るが［大泉・牛島 2005: 88-89］、八〇年代末から九〇年代前半にかけて、メキシコ国内の構造改革の影響で失業、低賃金労働などの悪条件を回避しようと、米国への越境が再び高まった。ＮＡＦＴＡが発効になった九四年に起こった金融

6　宮石（二〇二〇）では、「輸入が増えたのは飼料用の黄トウモロコシであって、食用の白トウモロコシは八〇％以上の高い自給率を維持しています。二五年前にいわれたような農村崩壊は起こりませんでした」と断じている。同五頁。

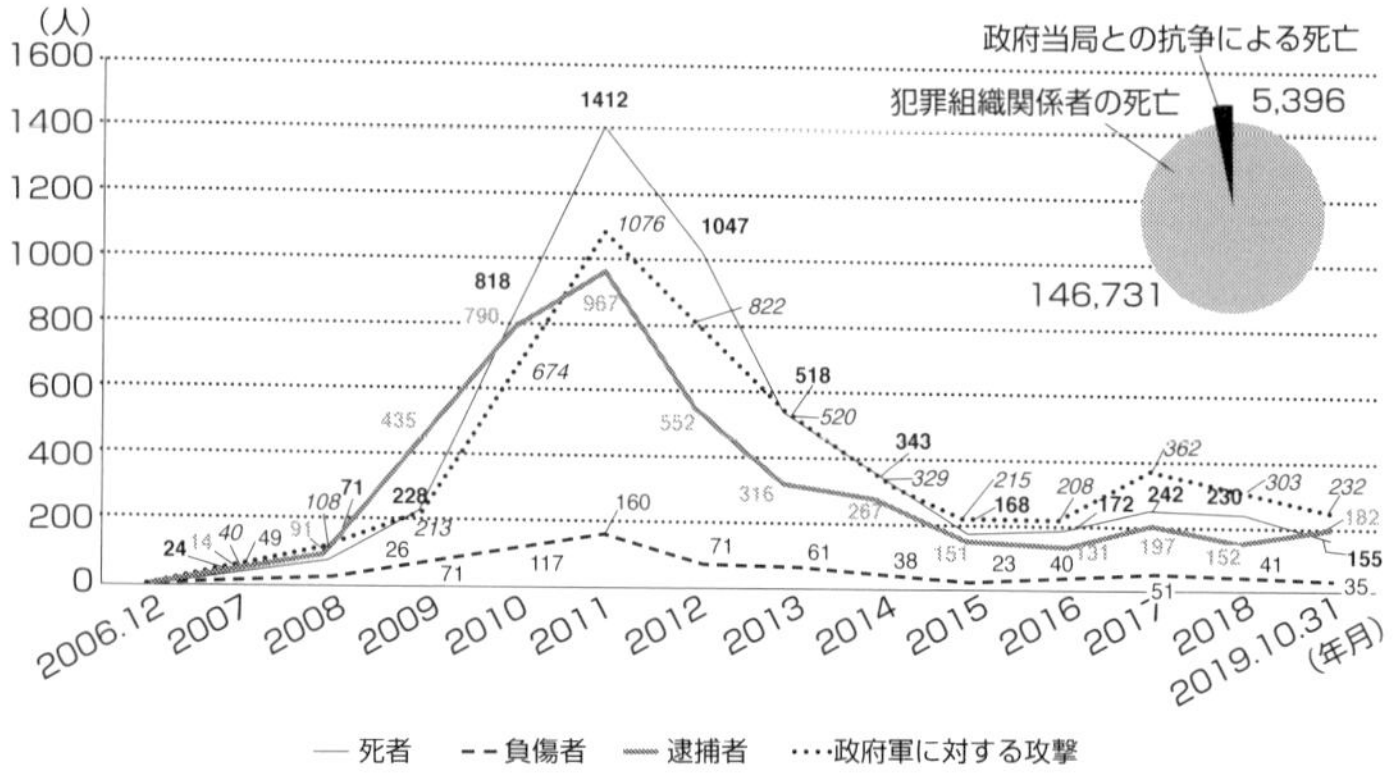

図５①　市民の死者、負傷者、逮捕者数

出所：メキシコ国防省および国家公安機構事務局、Lópes Obrador (2020), p.162

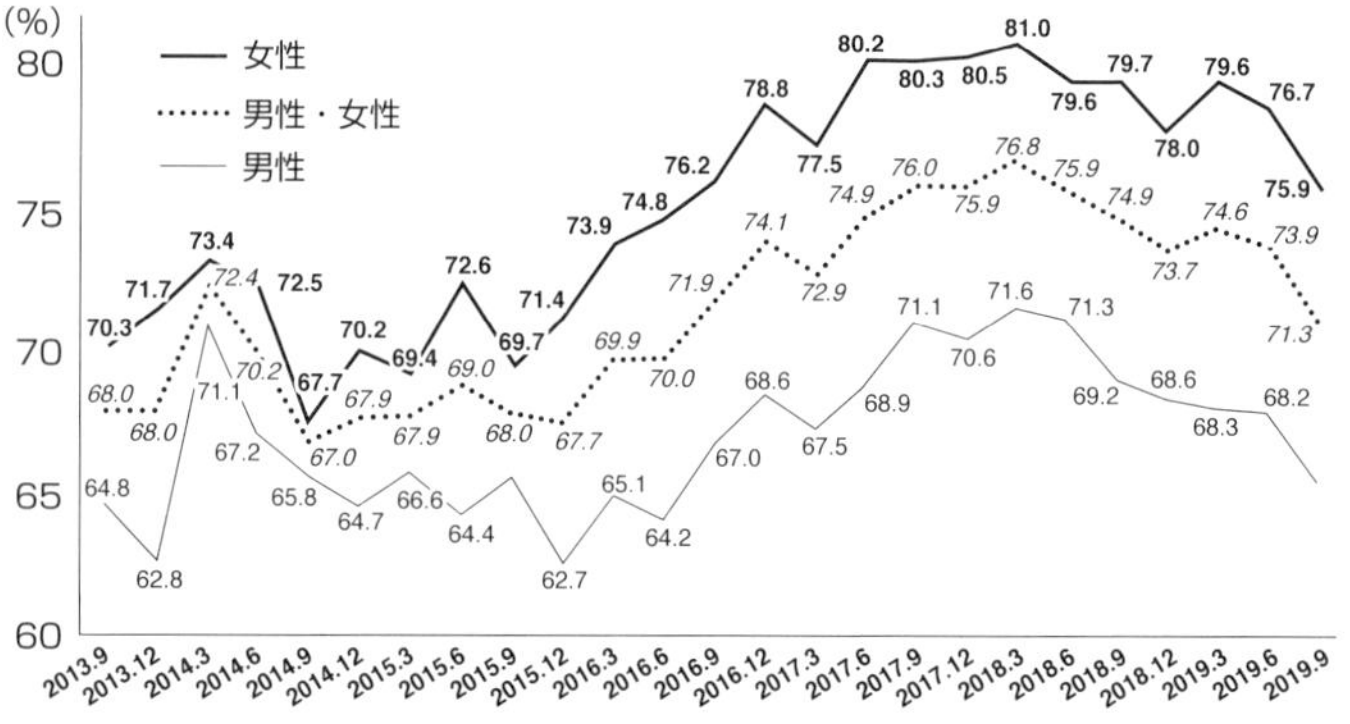

図５②　都市部の犯罪被害の男女比率

出所：メキシコ統計地理情報院（INGEI）、López Obrador (2020), p.170.

図6　米墨国境での非合法入国者の逮捕件数（2000～2019）
出所：米国税関国境警備局およびピュー・リサーチ・センター、Da Silva (2020).

危機で、一度はその数は急減するものの、その後、九〇年代末にかけて増え続けた。そして、不法入国で国境において検挙される件数は史上最大に達した。しかし、二〇〇一年の米国同時多発テロ事件以降、米国の国境政策の強化により、検挙数は下降する［**図4**］。この背景としてほかに考えられることは、すでに米国内で生活をしている不法入国者が飽和状態であること（二一〇〇万のうち、半数がメキシコ系）、メキシコ国内に一定数の雇用が確保できるようになってきていること、合法的に米国へ移住するメキシコ人が増えていること［アンドラデ・パラ 2019: 75; Villarreal 2014］、米国側の移民政策、国境管理がその後強化されてきていること、二〇〇六年以降のメキシコ国内における麻薬戦争で、不法入国を試みる移動の道中に殺人やレイプ等の事件の犠牲者が増えていること［**図5**①②］、などが考えられる。二〇一〇年代に入り、メキシコにかわって政治的暴力の問題を抱える中米諸国（グアテマラ、エルサルバドル、ホンジュラス）出自の米国への不法入国が増加してきている［**図6**］。

　では、なぜ危険を冒してまで米国へ越境しようとするのか。そのいくつかある理由の中でも重要なことの一つに、送金への依存があるといえる。メキシコはインド、中国、フィリピンに次いで外国からの送金で生計を立てている国である［Flores Vega 2018］。メキシコ銀行によると、二〇一九年のメキシコに流入した送金総額は三六〇億四八〇〇万ドルで二〇一八年の七・〇四％増であった［Expansión 2020a］。ちなみにコロナ禍の二〇二〇年七月において、意外にも昨年の同時期よりも送金は七・二％増大しているという結果が出ている［Expansión 2020b］。

3．ロペス・オブラドール（AMLO）の政策と展望

（1）T－MEC締結の利点

米墨加の三ヶ国は二〇二〇年七月一日からT－MECを発効させた。これまでのNAFTAを改善し、新しい時代に即した新NAFTAにメキシコのロペス・オブラドール大統領（Andrés Manuel López Obrador：通称AMLO）は意欲的である。では、T－MECの概要についてふれておきたい。

世界最大級の市場を形成し、そこへの参入によって雇用と投資の増大が見込まれる。米国への輸出がより重視され、NAFTAでは米墨間の農産品の通商が七倍に増加したが、T－MECでは、NAFTAで弊害となっていたメキシコの、とりわけ地方の参入と競争力の強化を原産地規則によってはかりつつ、通商や投資を高めていくことが協定のなかで規定されている。T－MECでは墨米加が互いに公平かつ公正に紛争を解決していくことも規定されている。NAFTAではその紛争解決のシステムが有効に働かなかったのは、三ヶ国のいずれかがそれを拒否することができたからである。メ

キシコ非雇用者の労働権の保障を主たる目的とした「労働の迅速な対応メカニズム」（Mecanismo Laboral de Respuesta Rápida）も確立された。例えば、規定の条件がメキシコの企業で遵守されていない場合、米国は当該製品の輸入停止や関税の増大などの対抗処置に出ることができる［Infobae 2020a; Cluster Industrial 2020］。これに合わせて、メキシコでは新労働法改革が二〇一九年五月から施行されている。[7]

Ｔ－ＭＥＣでは、自動車やトラックの製造において鉄鋼とアルミの七〇％（開始三年後にかけて段階的に引き上げる）を域内で精錬されたものを用いなければならない。鋼鉄の産出量の多いメキシコにとっては新たなチャンスが生まれている。また、自動車製造業における乗用車とその基本部品については、域内原産割合がこれまでの六二・五％から七五％へ、発効から三年後の二〇二三年にかけて段階的に引き上げる。米国へ輸出される自動車は年間二六〇万台の数量制限が設けられるが、その生産の四〇％から四五％において、最低時給一六ドルが保障されなければならないと定められている。Ｔ－ＭＥＣは今後一六年間継続するが、六年ごとに更新するか否かをとり決めることができる。加えて、デジタル産業のさまざまな局面に参入する機会が与えられる［森 2019; Infobae 2020a］。

7　Ｔ－ＭＥＣの条件に二〇一九年五月から発効されている新労働改革の遵守が入っている。被雇用者の立場に立って法的解決までを含めた労働の権利と条件の改善を規定している。組合への参加の権利、男女の賃金格差の是正、非雇用者およびその扶養家族の生活と健康の保障、休日保障などが規定され、労働争議が起こった場合に労働法に基づいて法的調停がなされる。その前段階として、調停センターを新規に設立する。契約書を必ずかわし、その同一のものを非雇用者に渡すことが定められている。https://operadora-consolide.com.mx/reforma-laboral-en-mexico-2019-todo-lo-que-debes-saber

（2）ロペス・オブラドールの訪米とトランプとの会談

ロペス・オブラドールは二〇二〇年七月八日から九日にかけてコロナ禍のなか米国へ公式訪問した。T－MEC発効を受けての三ヶ国間会談が期待されていたが、カナダのトルドー（Justin Pierre James Trudeau）首相はコロナを表向きの理由に欠席した［Minenio 2020］。ロペス・オブラドールが大統領就任の二〇一八年一二月から一年七ヶ月のあいだ訪米をしなかった理由としてトランプ（Donald John Trump）との不仲説などいろいろと憶測されてきたが、どうしてここで訪米を決めたのか。その鍵をロペス・オブラドールのホワイトハウスでの声明内容から読み解いてみたい。以下、その筆者による要約である[8]。

NAFTAにはいくつかの問題があった。輸出が五七九〇万ドル、輸入が四一九〇万ドルで赤字収支が続いたこと。その他、外資逃避、雇用機会の減少、失業問題、あらゆる不均衡、このような問題を見据えてT－MECは見直しが必要とされている。そのために雇用創出、通商の強化、域外で輸入しているものを北米地域で生産する必要がある。輸送費の削減とともに、域内労働力を使わなければならない。無論、投資などの域外との関係を軽視するわけではない。また労働賃金の改善は購買力の増進にも結びつく重要な要件となろう。T－MECにおいては、生産、市場、テクノロジー、労働力をより重視することになる。その点では、メキシコは若い労働力を有している。企業の役割はもちろん重要であるが、生産過程における労働者の役割を軽視できない。

写真１　ロペス・オブラドールとトランプ（2020年7月8日ホワイトハウスにて）

メキシコは自らの主権を尊重して、米国と距離を置くのではなく、米国とともに前を向いて歩んでいくことを選んだ。相違がある場合は話し合いを進めていきたい。

これまで両国の歴史には相克もあった。決して忘れることのできない屈辱もあった。しかし、われわれはこの米国との協調体制を選んだ。ともに歩んでいく所存である。一九四〇年代にメキシコ人は米国の労働力を助けるために、移民としてやってきている。ブラセロ［筆者註：短期雇用労働者の派遣に対する政府間協定であったが、一九六四年で終了した］もそうである。以来、両国は経済的、通商的に密接な関係にある。米墨両国は運命共同体であるかと思えば、時には全く相反する隣国でもある。地政学的にも両国の経済はメキシコの移民労働力によって活性化されてきた。これらの人たちがこの米国で三八〇〇万のコミュニティを形成している。彼らは米国の経済に大きく貢献している。わが国にも一五〇〇万の米国人が居住している。

両大統領の間には相互のイデオロギーの相違から摩擦がある

8　https://www.youtube.com/watch?v=FgqpwRZi35A&feature=emb_logo［二〇二〇年一〇月二六日 News Now from Fox 最終アクセス］

という者もいるようだが、現在の両国の良好な関係を壊すことは将来にとってよくないことである。

かつてベニート・ファレス（Benito Juarez）大統領とリンカーン（Abraham Lincoln）大統領は良き理解者どうしだった。奴隷制禁止を唱えた偉大なリンカーン大統領は、決してメキシコが被っていたフランス軍の支配とマクシミリアンの支配を認めなかった。リンカーンが同じ人類の自由に尽力したがゆえに、彼が暗殺されたのを嘆き悲しんだのも偶然ではなかった。またルーズベルト（Franklin Delano Roosevelt）大統領も、ラサロ・カルデナスとのあいだで、石油の採掘においてメキシコの主張を認めてくれた。

このような歴史的教訓は現在に活かされている。そのため、私はこの度の訪米を決断した。今回の訪問に関して、わが国では賛否両論があった。また、この度の条約を進めていくうえで今は大切な時期だと考えたのもその理由である。米国市民、米国政府、トランプ大統領に、そしてなによりもわが同胞に対して感謝申し上げたい。通商、石油、コロナの件での医療チーム援助など、トランプ大統領の配慮に感謝している。

かつてワシントン（George Washington）大統領も警鐘を鳴らしていたように、他国の統治を侵害しないことが重要である。植民地ではないからである。トランプ大統領がそれを尊重していることに感謝している。トランプ大統領はそれを実践している人物であることをこの公の場で申し上げたい。一国には、民主的で、自由に行使できる、統治権が認められなければならないと考える。両国がともに歩んでいくためには必要なことである。

ここでロペス・オブラドールが述べていることが、うわべだけのパフォーマンスではなく、彼の本心が語られているという前提で分析できることは、ロペス・オブラドールがメキシコ国内外の中下層の労働者の擁護を声高々に訴えていること、また不干渉主義と民族自決の論理を重視し力説していることから、ロペス・オブラドールをいわゆる穏健的な左派として位置付けることに問題はないかと考えられる。ただし同時に、良好な対米関係、T－MECへの期待、投資の促進、メキシコ国内の保守的な企業家や親米派（PRIやPAN支持者を含む）などにも配慮を施しつつ、会見ではかなり慎重に言葉を選んで述べていたという印象を受けた。

本会見で述べられたように、労働者擁護と不干渉主義および民族自決、これを訪米してトランプを目の前にして言わなければならなかったロペス・オブラドールやメキシコの置かれた状況をさらに分析してみたい。

（3）メキシコ国内の親米派

すでにメキシコ国内の大企業、投資家、親米派の政治家などはロペス・オブラドールに対する批判を高めている。ロペス・オブラドールが左派ポピュリストであると位置付け、対米協調やグローバル資本主義を推進する右派を中心に、今後のメキシコの動向に大変不安を感じている者も多い。その証拠にAMLOの支持率の低下が挙げられる。選挙時の八六％から最近の調査では五〇％強まで低下してきているという。右派の反ロペス・オブラドール派だけでなく、AMLO自身の支持政党である左派の国民再生運動（MORENA）の支援者からもロペス・オブラドールに対する不信感が高まってきているのが現状である。ちなみに、二〇二〇年一二月のコロナ禍でのロペス・オブラドール大統領への支持率は六四~七一%で、再び上昇してきている［Moreno 2020; Baranda Guerrero 2020］。

このような状況下で、すでにニュースで報じられているように、広域反政府ブロック（Broad Opposition Bloc: BOA）が結成され、「メキシコを救出しよう」（Rescatemos a México）という標題の怪文書が流出した。怪文書といっても、これに賛同する個人、組織等の名前が記されている。ロペス・オブラドール政権を強制的に終結させることを希望する右派寡頭支配層である企業、投資家、マスメディア、ジャーナリスト、その他諸政党、さらには元大統領や政治家までそこに名を連ねている。同文書は米国トランプ大統領にもSNSを通じて流れている。具体的には、主要野党である国民行動党（PAN）、制度的革命党（PRI）、市民運動党（MC）、ロペス・オブラドールの元所属していた民主革命党（PRD）、新政党である「メキシコ自由」（Mexico Libre）が含まれている。元大統領のビセンテ・フォックス（Vicente Fox Quesada）やフェリペ・カルデロン（Felipe de Jesús Calderón Hinojosa）の名も連ねられている。カルデロン自身はこれを否定している。フォックスもカルデロンも七一年におよぶPRIの一党独裁を破ったPANから出てきた元大統領である。フォックスは米国ブッシュ（George Walker Bush）政権に接近し、ラテンアメリカの左派政府を孤立させるために米国に協力したが、かつてロペス・オブラドールがメキシコ市長のときに、このフォックスと犬猿の仲であった。一方、カルデロンはブッシュ大統領に圧力をかけられ麻薬戦争を開始した当の大統領である。加えて、外国メディアも含まれている。ロペス・オブラドールは、ボリビアのエボ・モラレス（Juan Evo Morales Aima）の事実上のクーデターの事案などに鑑みて、反ロペス・オブラドール派の動向に憂慮しているようである［Norton 2020］。

（4）ロペス・オブラドールの不干渉主義とベネズエラ・マドゥロ政権への支援

T－MECを支持し、右派反政府諸派の顔色をうかがいながらも、ロペス・オブラドールは未だ不干渉主義とベネズエラ・マドゥロ支援の立場を固辞し続けているのはなぜか。果たして、ロペス・オブラドールはどこへ向かおうとしているのだろうか。ホセ・アントニオ・クレスポによると、ロペス・オブラドールは七〇年代のルイス・エチェベリア（Luis Echeverría Álvarez）大統領のポピュリズムに類似した性格を有していると指摘する。そしてこの政治体制は「穏健的な」ポピュリズムであったとする。ベネズエラのチャベス（Hugo Rafael Chávez Frías）よりはブラジルのルーラ（Luiz Inácio "Lula" da Silva）に近いと評されている［Crespo 2020］。筆者は、不干渉主義との観点から、エチェベリアよりもその次のロペス・ポルティージョ（José López Portillo y Pacheco）大統領に近いのではないかと見ている。以下、その理由を述べていきたい。

ロペス・オブラドールは七月の訪米前の六月一五日、マドゥロ大統領から要請があれば、メキシコは「自由で独立した主権を有する国で、自分たちの自決権を行使し」、「人道的支援の必要性」の立場から、石油をベネズエラに供給、販売することを明言した。誰も他国を抑圧する権利はなく、いかなる覇権国も特定の民族を抑圧することはできないと公言した［Periódico Cubano 2020; Aragón 2020］。

1節で述べてきたように、エストラーダ主義とは、文字通り内政不干渉で中立の立場に出ることを意味しているわけではなく、その国との外交関係と、当該国の政府承認は別の次元であると考える。

ロペス・オブラドールはこれを人道的支援という言葉でもって表現する。かつて、ディアス・オルダスはキューバのカストロ政権を承認したために、エストラーダ主義をさらに拡大解釈し、当該政府の承認による外交関係の成立は、メキシコおよびキューバ両政府の性格や主義への同調とは全く切り離して考慮されるものであるとした［Ramírez 2001］。まさに、自国政府の国際的立場や、対米協調関係のなかでの自国の立場の弁明かつ擁護であり、加えて、自国の内政維持のためであった。国内の社会主義者や反政府派のさらなる政治化、暴徒化を未然に防ぐためのレトリックであったともいえる。

六〇年代のキューバとメキシコの関係は、外交とは裏腹に、通商額では重要な相手国ではなかった。メキシコのキューバへの輸出過多で、フリホール豆を中心とする食糧が中心で、しかも一九六七年から六八年にかけて六三〇万ドル、四〇〇万ドルであったのが、六九年から七一年にかけて三万〜六・六万ドルに下がっているように、ばらつきがあった［Departamento de Estudios y Difusión: 374-377］。政治的な国交と経済通商は全く別物であったことがわかる。

しかし、一九七〇年代に入るとメキシコは決して反米的ではないが、米国との関係に一定の距離をおき、非同盟諸国との外交や通商を展開し、多元化に努めた。エチェベリア大統領は軍事独裁のピノチェ（Augusto José Ramón Pinochet Ugarte）の圧政による人権弾圧を批判し、チリと断交した。さらに次のロペス・ポルティィージョ大統領になるとメキシコ外交は大きく変化を見せることになる。ロペス・ポルティィージョは経済的にはエチェベリアの政策を継承したが、外交的にはニカラグアの左翼ゲリラのサンディニスタ民族解放戦線（ＦＳＬＮ）を支援する［Ramírez 2001］。サンディニスタがソモサ（Somoza）独裁を革命で倒し、政権を奪取することに成功したのが、一九七九年七月一九日であった。サンディニスタ政権を同じく支援していたのがコスタリカ、パナマ、ベネズエラであった。なかでもメキシコはサンディニスタ新政権の再建に対する援助に積極的であった。またサンディニスタの方もメキシコへ何度も訪問し援助を求めて交流を図った。メキシコを訪問したサンディニスタの司令官一行に対してロペス・ポルティージョの有名な発言がある。「ところで、君たちの欲しいものは何だ？（Bueno muchachos, ¿qué necesitan?）」[Herrera León 2011; Lafuente 2019]。

一九七九年から八一年にかけて、ロペス・ポルティージョは五億ドルもの物資や経済支援を行った。一九七九年七月頃、ニカラグアにロペス・ポルティージョは三度も訪問している。ところが、メキシコは八二年に債務危機に陥り、支援は中断された。ロペス・ポルティージョの任期切れにともない、デ・ラ・マドリー（Miguel de la Madrid Hurtado）大統領が就任、再建計画を受け入れた。メキシコの経済体制が大きく変更を余儀なくされ、中米紛争へのかかわりは減っていく。同じ頃、一九八三年にはコロンビア、ベネズエラ、パナマとともにコンタドーラ・グループを形成し、米国は紛争の当事国であるので、米国を除いた中南米諸国によって解決する道を歩み出したのであった。しかし、メキシコの自国の経済不況と再建、米国への従属化のなかで、かつてのロペス・ポルティージョが行っていたようなサンディニスタ政権への経済援助、物資の援助の余裕はもはやなかった。加えて、コンタドーラ・グループを形成したことにより、メキシコ独自の戦略外交を展開することはできなくなっていた [Herrera León 2011]。コンタドーラ・グループは一九八六年一二月には、アルゼンチン、ブラジル、ペルー、ウルグアイを加えたリオ・グループを樹立し、紛争解決に努めた。

ロペス・オブラドールは、米国との関係を保ちつつ、不干渉主義のカードを使ってベネズエラのマドゥロ政権へ石油を輸出するということになれば、きわめて六〇年代よりも七〇年代、とりわけロペス・ポルティージョに近い政策を実行しようとしているとみてよい。ロペス・オブラドールはベネズエラに石油を輸出することを発表しているが、米国の経済制裁に違反することに対する懸念がある。六月一五日、ロペス・オブラドールによるベネズエラへの石油輸出の意向の発表は、T－MECと矛盾することにならないか、である。七月初旬の訪米の裏には、このような状況の中での対米関係の調整の意図があったとも推察される。前後するが、二〇年六月一八日、一九年六月にメキシコのある企業が、ベネズエラ貿易公社（Corpovex）という国の組織から三〇〇〇万バレルの原油を輸入し、その見返りに二度に分けて、一億六四〇〇万ドルに相当する給水タンク積載のトラック一〇〇〇台とその数日後に二〇万トン分の白色トウモロコシ六六〇〇万ドル相当をベネズエラ（アジア経由で）へ輸出したことが発覚し、米国財務省はメキシコ二社を制裁の対象にしたことを発表している［Infobae 2020b; Lafuente 2020］。

ロペス・オブラドールの改革は「第四の改革」と呼ばれており、メキシコ史上四番目の大変革期であると彼自身は声高々に主張する［国本 2020: 76-92］。そのなかで彼は二〇一三年以来のエネルギー改革に力を入れている。七〇年代頃からすでにその兆候が見られたが、メキシコは本来石油産出国であり、その自給自足が可能であった。ガソリンだけではない。ディーゼル、電力なども自国の消費を自分たちでまかなうことができた。しかしＮＡＦＴＡ以降、原油を国外へ輸出するようになったが、反面、メキシコで消費するガソリンの半分以上を米国から輸入しているのが現状である［López Obrador 2020:47-9; Periódico Cubano 2020］。二〇一七年九月時点で国内消費の三五・六％を自国生産でまかなうにとどまっている［所 2020b］。一つには石油の産出量が年々低下してきていることがその背景にある。また、この四〇年間（二〇一九年現在）、新しい石油精製所が一つも建設されていない。加えて、前政権のペーニャ・ニエト（Enrique Peña Nieto）前大統領はメキシコ石油公社（ＰＥＭＥＸ）の一部民営化に着手し、ガソリン価格の自由化による価格上昇とこれに関する諸問題（石油盗難など）が起きている［所 2020b］。そのため、ロペス・オブラドールは原油の輸出削減と新たな油田開発や石油精製の推進に積極的である。

政策は理念やイデオロギーだけで成功するわけではない。机上の空論だけでは長期的に経済は疲弊するであろう。かつ、政策の失敗はつねに社会的弱者にさらなる困窮を生じさせる。グローバリゼーションであれ、反米・反グローバリゼーションであれ、あるいは社会主義であれ、つねにその失策のしわ寄せは社会的底辺にある「弱者」にやってくる。これを少しでも回避するために、国家や政府は早期の梃入れと新しい発想や転換が必要である。米国による経済制裁は決して全面的に賛成できないが、反面、キューバのような社会主義国、ベネズエラやニカラグアのような極度な反自由主義経済を政策に導入している反米国家であれ、またメキシコのような穏健的な左派政権の国であれ、どんな国も米ドル化の影響を受け入れざるを得ないし、現にその恩恵を受けているのである。送金はその好例である。彼らのおかれた立場はそれぞれにおいて同じではないが、そのなかで可能な限りの選択肢を有効に活用することは決して批判されるものではないと思う。それは順応性として高く評価されなければならないと考える［García Ramírez 2020］。

従って、親米か反米か、右派か左派か、など二項対立で政治を見た場合、ロペス・オブラドールは日和見主義的な政治家か、あるいは大衆煽動型の左派ポピュリストであると見られてしまうかもしれない。しかし、これは大事なことを忘れているように思う。二極化して考えるあまりに、多極化が最初から蓋然性のなかに入っていないことである。換言すれば、対米協調と北米域内のグローバル資本主義を推進しながら、反米のベネズエラとの外交や通商を続けようとするメキシコのロペス・オブラドールの立場を検討する際に、どうしてもこの二項対立で解釈しようとするあまり、ロペス・オブラドールの本心の追及や議論に終始している観があるのである［高橋・高村 2020］。従来の左派政権とは性格を異にするものとして、ロペス・オブラドール政権を捉える見解もある［所 2020a］。とはいえ、ガルシア・ラミレスの、ロペス・オブラドールの敗北感と劣等感をトランプ大統領の前で露呈してしまったという批判的な解釈には筆者は同意できない［García Ramírez 2020］。分析の枠組みを変えて、考察対象をより柔軟に検討することにより、新たな発見や展開がなされうるのではないだろうかというのが、筆者にとって重要な視点である。

結びにかえて

不干渉主義はメキシコ自身の隠れ蓑でもある。他国への内政不干渉であると同時に、メキシコへの内政不干渉を他国に訴えていることに等しいのである。従って、今日おかれている状況下での不干渉主義というメキシコ流のやり方は、自国の政策決定過程における国内における調整と協調の確保と、またメキシコの自決権に対する国外からの干渉の抑圧に対抗するための手段とも考えられる。不干渉主義の名のもとに深刻な国内問題の改善のための「改革」を優先して進めている観がある。とはいえ、メキシコが、米国とベネズエラ、あるいはキューバとの紛争に無関心であるはずがない。歴史的に見てみても、メキシコは、米国とラテンアメリカの対立や紛争の緩衝国としての役割を担う努力を続けてきた。メキシコにとって、米国との協調関係の一辺倒だけでは、現実の問題を解決できないということは十分認識しているはずである。不法移民や麻薬紛争の解決について考える場合でも、米国だけではなく、中米との協調関係が重要である。また米国からメキシコへ入ってくる武器がこのような紛争をより困難なものにさせていることも想起すべきである。メキシコが緩衝国として、また別の枠組みを設定することに成功する可能性も含めて、二一世紀の米国とラテンアメリカの相互の平和的発展に寄与することを期待したい。従って、メキシコの現在の立ち位置は、日和見主義で主義や政策が見えないという批判は当たらないと思う。ただし、それがどこまで成功するかは別の話ではある。ロペス・オブラドールがおかれている立場は決して安泰ではなく、試練に立っているといえよう。

【参考文献】


アンドラデ・パラ、マルタ・イレネ（額田有美訳）（２０１９）「メキシコからアメリカ合衆国への『正規』国際労働移動の動態」松久玲子編『国境を超えるラテンアメリカの女性たち――ジェンダーの視点から見た国際労働移動の諸相』昇洋書房、74～97頁。

牛島万（２０１９）『米墨戦争前夜のアラモ砦事件――アメリカ膨張主義の序幕とメキシコ』明石書店。

大泉光一・牛島万（２００５）『アメリカのヒスパニック＝ラティーノ社会を知るための55章』明石書店。

楠貞義（２００３）「メキシコ経済と石油――輸入代替工業化の顛末」『関西大学経済論集』53巻3号、２００３年12月、

３０９～３２９頁。

国本伊代（２０２０）『メキシコ　２０１８～19年――新自由主義体制の変革に挑む政権の成立』新評論。

高橋百合子・高村達郎（２０２０）「メキシコ　ロペス・オブラドール政権の評価――ＡＭＬＯ大統領は「左派ポピュリスト」か？」『ラテンアメリカ時報』Ｎｏ．１４３１、２０２０年夏号、６～10頁。

所康弘（２０２０ａ）「現代メキシコ政治経済の課題と展望」『明大商学論叢』第１０２巻第３号、１３５～１４８頁。

――――（２０２０ｂ）「石油関連産業改革と政治変容――メキシコ政権交代の背景とその課題」『経済科学通信』Ｎｏ．１５０、45～52頁。

ポニアトウスカ、エレナ（北条ゆかり訳）（２００５）『トラテロルコの夜　メキシコの１９６８年』藤原書店。

松下冽（２０１９）『ラテンアメリカ研究入門――〈抵抗するグローバル・サウス〉のアジェンダ』法律文化社。

宮石幸雄（２０２０ａ）「第２章　変革期のメキシコ農業政策――ＮＡＦＴＡからＵＳＭＣＡへ」『主要国農業政策・貿易政策プロ研資料』第３号、農林水産政策研究所、２０２０年３月。

――――（２０２０ｂ）「メキシコの農産品貿易――北米自由貿易協定（ＮＡＦＴＡ）の下で輸出拡大」『農林水産政策研究所レビュー』Ｎｏ．94、２０２０年３月、４～５頁。

森秀勲（２０１９）「ＵＳＭＣＡ（新ＮＡＦＴＡ）の注目点――米国と各国との間の貿易交渉を検証する一材料として」『経済のプリズム』Ｎｏ．１７８、14～33頁。

ロペス・ビジャファニェ、ビクトル（後藤政子訳）（２０１７）「メキシコ――新自由主義と麻薬取引と暴力」後藤政子・山崎圭一編『ラテンアメリカはどこへ行く』ミネルヴァ書房、２３０～２４７頁。

Crespo, José Antonio (2020), *AMLO en la balanza: De la esperanza a la incertidumbre*, Grijalbo.

González G., Guadalupe, y Pellicer, Olga, coordinados (2013), *La política exterior de México: Metas y obstáculos*, México, Siglo veintiuno editores.

Guevara Ramos, Emeterio (2019), *López, un año después: México, el gran perdedor*, Amazon.

López Obrador, Andrés Manuel (2020), *Hacia una economía moral*, Planeta.

〈ネット記事、論説〉＊特記していない場合は、最終アクセスは２０２０年10月27日とする。

Aragón, Julieta (2020), “México, Venezuela y EU en disputa por el petróleo,” en *Zeta*, 22 de junio de 2020.
https://zetatijuana.com/2020/06/mexico-venezuela-y-eu-en-disputa-por-el-petroleo/

Aristegui Noticia (2013), “Los muertos de Tlatelolco, ¿cuántos fueron?,” 2 de octubre de 2013.
https://aristeguinoticias.com/0110/mexico/los-muertos-de-tlatelolco-cuantos-fueron/［最終アクセス２０２１年１月４日］

Baranda. A. & Guerrero, C. (2020), “No nos rebasa pandemia y me apoya 71%: AMLO,” en *El Diario MX*, 2 de diciembre de 2020.
https://diario.mx/nacional/no-nos-rebasa-pandemia-y-me-apoya-71-amlo-20201201-1737057.html［最終アクセス２０２１年１月４日］

Barragán, Daniela (2019), “Las mexicanas se llevan lo peor en la desigualdad: sus salarios son 47% menores a los hombres,” en *Sinembargo*, 4 de agosto de 2019.
https://www.sinembargo.mx/04-08-2019/3622812

Brinke, Koen (2013), “The Mexican 1982 debt crisis,” *Economic Report*, September 19, 2013.
https://economics.rabobank.com/publications/2013/september/the-mexican-1982-debt-crisis/

Carbajal Suárez, Yolanda, and Berenice Carrillo Macario (2017), “Relación comercial México-Estados Unidos, ¿Cuáles son las cifras al inicio de la era Trump? ,” en *Economia Actual* 10(2), abril-junio 2017.
http://economia.uaemex.mx/Publicaciones/e1002/10-2_1-Yola-Bere.pdf

Cluster Industrial (2020), “¿Qué es el Mecanismo Laboral de Respuesta Rápida (o RRLM) en el T-MEC?,” 22 de junio de 2020.
https://www.clusterindustrial.com.mx/noticia/2338/que-es-el-mecanismo-laboral-de-respuesta-rapida-o-

rrlm-en-el-t-mec
Da Silva, Chantal (2020), "2020 Caravan Arrives in Mexico With More Than 1000 Migrants, Government Vows to Deport Most," en Newsweek, January 20, 2020.
https://www.newsweek.com/caravan-u-s-mexico-border-migrants-asylum-seekers-deportation-1483023 [最終アクセス２０２１年１月４日]
Departamento de Estudios y Difusión, *Intercambio comercial México-Cuba.*
http://revistas.bancomext.gob.mx/ [最終アクセス２０２０年８月１日]
El País (2020), "México, 23 años después del TLC," 16 de agosto de 2017.
https://elpais.com/internacional/2017/08/15/mexico/1502756737_844937.html [最終アクセス２０２１年１月４日]
Expansión (2020a), "México recibe remesas récord en 2019," 4 de febrero de 2020.
https://expansion.mx/economia/2020/02/04/mexico-recibe-remesas-record-en-2019
Expansión (2020b), "México recibe 7% más de remesas durante julio," 1 de septiembre de 2020.
https://expansion.mx/economia/2020/09/01/mexico-recibe-7-mas-de-remesas-durante-julio
Flores Vega, Ernesto (2018), "Se consolida la importancia de las remesas para México," *BBVA*, 7 de septiembre de 2018.
https://www.bbva.com/es/consolida-importancia-remesas-mexico/
Franco, Fernando (2011), "El salario mínimo es menor que en los años 80," en *Excelsior*, 20 de junio de 2011.
https://www.excelsior.com.mx/2011/06/20/dinero/746121
García Ramírez, Esmerlda (2020), "El entreguismo de AMLO y la dolarización de Maduro," en *Aporrea*, 14 de julio de 2020.
https://www.aporrea.org/ideologia/a292810.html

Herrera León, Fabián (2011), "El apoyo de México al triunfo de la revolución sandinista: su interés y uso político," en *Anuario Colombiano de Historia Social y de la Cultura*, vol.38, núm. 1, pp.219-240.
https://revistas.unal.edu.co/index.php/achsc/article/download/23186/35958

INEGI https://www.inegi.org.mx/

Infobae (2020a), "Lo positivo y lo negativo que traerá el T-MEC para México," 29 de enero de 2019.
https://www.infobae.com/america/mexico/2020/01/29/lo-positivo-y-lo- negativo-que-traera-el-t-mec-para-mexico/

Infobae (2020b), "Maíz por petróleo: el sospechoso intercambio entre una empresa mexicana y Alex Saab, testaferro de Maduro," 30 de julio de 2020.
https://www.infobae.com/america/mexico/2020/07/30/maiz-por-petroleo-el-sospechoso-intercambio-entre-una-empresa-mexicana-y-alex-saab-testaferro-de-maduro/

Jetro https://www.jetro.go.jp/world/cs_america/mx/

Jetro (2020)「新型コロナ感染症で、戦後最悪のマイナス成長が濃厚に（メキシコ）求められる政府の経済対策」２０２０年5月13日。https://www.jetro.go.jp/biz/areareports/2020/2728a0e066f49236.html

Keeley, Brian (2018), *Desigualdad de ingresos, La brecha entre ricos y pobres, 8 de mayo de 2018* en OECD
https://www.oecd.org/social/desigualdad-de-ingresos-9789264300521-es.htm

Lafuente, Javier (2019), "El día que México 'intervino' en Nicaragua y propició la caída de Somoza," en *El País*, 14 de enero de 2019.
https://elpais.com/internacional/2019/01/14/mexico/1547426444_451837.html

Lafuente, Javier (2020), "La trama mexicana del petróleo venezolano," en *El País*, 30 de julio de 2020.
https://elpais.com/mexico/2020-07-29/la-trama-mexicana-del-petroleo-venezolano.html

Martín, Javier (2020), "La masacre de México '68," en *Vanguardia*, 2 de octubre de 2020.

https://www.lavanguardia.com/historiayvida/historia-contemporanea/20201002/33559/masacre-mexico-68.html ［最終アクセス２０２１年１月４日］

México desconocido (2020), “Movimiento Estudiantil de 1968: historia de la masacre de Tlatelolco,” 29 de septiembre de 2020.
https://www.mexicodesconocido.com.mx/movimiento-estudiantil-de-1968-historia-de-la-masacre-de-tlatelolco.html ［最終アクセス２０２１年１月４日］

Milenio (2019), “80 años de la llegada de los refugiados españoles a México,” 11 de octumbre de 2019.
https://www.milenio.com/especiales/80-anos-llegada-refugiados-espanoles-mexico

Milenio (2020), “¿Por qué Trudeau no asistirá a reunión con AMLO y Trump?,” 7 de junio de 2020.
https://www.milenio.com/internacional/trudeau-ira-reunion-amlo-tr

Moreno, Alejandro (2020), “ENCUESTA: Repunta 5 puntos la aprobación de AMLO,” en *Nación 321*, 1 de diciembre de 2020.
https://nacion321.com/ciudadanos/encuesta-repunta-5-puntos-la-aprobacion-de-amlo ［最終アクセス２０２１年１月４日］

Nación 321 (2019), “México, Guatemala, Honduras y El Salvador, ¿qué país tiene peor salario mínimo?,” 20 de junio de 2019.
https://www.nacion321.com/ciudadanos/mexico-guatemala-honduras-y-el-salvador-que-pais-tiene-peor-salario-minimo

Norton, Ben (2020), “Leaked documents reveal right-wing oligarch plot to overthrow Mexico's AMLO,” en *Grayzone*, June 18, 2020.
https://thegrayzone.com/2020/06/18/mexico-overthrow-president-amlo-boa/

Periódico Cubano (2020), “Aseguró AMLO: México le enviaría petróleo a Venezuela si le solicita,” 15 de junio de 2020.

https://www.periodicocubano.com/aseguro-amlo-mexico-le-enviaria-petroleo-a-venezuela-si-le-solicita/

Ramírez, Carlos (2001), "Doctrina Estrada; doctrina Castañeda," en *Indicador Político*, 28 de septiembre de 2001.
http://www.oocities.org/mx/cencoalt/110901/doctrina.htm

Luis Ramos, Juan (2020), "OCDE señala la desigualdad de género laboral en México," en *El Sol de México*, 9 de enero de 2020.
https://www.elsoldemexico.com.mx/finanzas/ocde-senala-la-desigualdad-de-genero-laboral-en-mexico-4678257.html［最終アクセス２０２１年１月４日］

Sims, Jocelyn (2013), "Latin American Debt Crisis of the 1980s," in *Federal Reserve History*, Nov. 22, 2013.
https://www.federalreservehistory.org/essays/latin_american_debt_crisis

Villarreal, Andrés (2014), "Explaining the Decline in Mexico-U.S. Migration: The Effect of the Great Recession" en *Demography*. 2014 Dec; 51(6): pp. 2203–2228.
https://www.ncbi.nlm.nih.gov/pmc/articles/PMC4252712/

Zuckermann, Leo (2020), "Fracaso estrepitoso de la 4T en la economía," en *El Imperial*, 2 de agosto de 2020.
https://www.elimparcial.com/columnas/Fracaso-estrepitoso-de-la-4T-en-la- economia-20200802-0180.html

あとがき——混迷するベネズエラからの教訓を中心に

ベネズエラをめぐるラテンアメリカからの視点とは何か

ベネズエラのマドゥロ政権に正当性はあるのか、あるいはマドゥロは抑圧的な為政者なのか。米国をはじめとする諸外国がグアイドーを支持し、マドゥロ政権へ経済制裁を行うことは、ベネズエラに対する内政干渉に当たるのではないか。本書を通じて、さまざまな問題が指摘されているが、読者諸氏は、執筆者の間でもその見解が相違していることに気づかれたことであろう。二〇一九年一一月八日と九日の両日に京都外国語大学で開催されたシンポジウムでは、さまざまな視点に立つ論客を招き、自由にその意見を述べていただくことが、わたしたちの企画の基本的な趣旨であった。このシンポジウムでの内容をもとに執筆された本書が目指しているのは、まさにベネズエラの問題に関する多岐にわたる視点や見解を一冊の書物にまとめ提示することにあった。

二〇世紀はイデオロギーの世紀であったと考えられる。米ソの対立に代表される冷戦時代に世界各地で紛争やテロリズムが起こり、多くの犠牲者を生んだ。近年においては、ここに宗教の対立が加わり、とりわけイスラム教の原理主義（過激派）によるテロリズムと、これに対抗する党派によるテロ活動が世界各地で起こっている。ラテンアメリカ地域からの視点を重視すれば、ラテンアメリカはアジアと並んで、冷戦期の代理戦争の実験場になった。ラテンアメリカがアジアやアフリカと大きく異なる点は、ラテンアメリカの大半が一九世紀に独立を達成していたにもかかわらず、政治的、経済的自立が確立できず、欧米に従属する発展途上国としての歩みを長らく余儀なくされてきたことである。故に、その脆弱性が二〇世紀の米ソ対立の冷戦構造による影響を真っ向から受けることになったのである。一九五九年のキューバ革命と二年後のキューバの社会主義宣言、一九七〇年のチリのアジェンデ（Salvador Allende）政権による社会主義宣言と七三年のピノチェ陸軍総司令官（当時）による反革命、そして一九七九年のニカラグア革命と、その後一〇年以上にわたる中米紛争を経て、親米チャモロ（Violeta Chamorro）が勝利したように、ラテンアメリカ史上幾多の革命と反革命が起こっている。これらの親米と反米の対立や紛争は、他国の干渉も相まって二〇世紀以降、現在まで存続している。当該ベネズエラ問題も同様である。ちなみに、ラテンアメリカには米国の介入を希望する国内の党派が存在するのも忘れてはいけない。

本来、独立国には自決権が承認されているはずである。国際法でもそれが認められている。従って、その国が親米国になろうが、反米国になろうが、あるいは右傾化しようが左傾化しようが、そこに他国が干渉する余地はなく、もし干渉すれば、内政干渉に当たるのである。しかし、現代ラテンアメリカではこれが歴史的に展開されることが多かった。その方法はさまざまである。軍や武器を送って内戦状況を激化させ、敵の陣営を徹底的に駆逐するといった、八〇年代の中米紛争がその代表例であった。他方、政権を奪取するためのクーデターや選挙妨害といった方法がある。一九七三年のチリの軍事クーデターもその一つであった。

ところが、例外として、人道的配慮から他国への「内政干渉」が違法ではないとされた事案が存在する。世界史的にはコソボ紛争がそうである。一九九九年、国連安全保障理事会の決議を待たずして、

ＮＡＴＯ（北大西洋条約機構）軍によるセルビアに対する武力攻撃が行われた。問題は内政干渉と、人道的支援や配慮による干渉との線引きの問題である。本書が扱うベネズエラの問題では、経済制裁と人道的支援の関係がその議論に相当するであろう。通常、経済制裁は内政干渉に当たると解釈できる。しかし、その経済制裁が、「独裁国家」「強権国家」のレッテルを貼られた特定国の政権によって、「暴力的に」人権が侵害されている場合、人権を擁護するための内政干渉や武力行使は国際法上、違法ではないという解釈がなされる場合がある。また当該国から外国の介入を要請する動きがあれば、内政干渉とは見なされないという解釈もある。逆にいえば、経済制裁が内政干渉ではなく、人道的支援のための内政干渉とする要件を準備できれば、他国の介入が正当化されるわけである。そのために混乱を極める当該国の一般国民の生活が困窮し、その生命が危険に晒されている。その意味では、社会的弱者がつねに犠牲になることに変わりはない。

本書では、ラテンアメリカ地域からの視点の特徴として、比較の視座が考えられる。第２章や第３章のように同地域内の他国との比較の視座を重視することにより、ベネズエラの現状をより把握できる。あるいは第１章のように、人の国際移動が絡んでくることにより、ベネズエラの国際問題は隣国を中心に、国際問題やラテンアメリカ域内の問題として捉えることができる。また、ラテンアメリカでは新たな第三の方向性が検討されている。その意味ではブラジルとメキシコの事例を第６章と第７章に加えていることは本書のアプローチの特徴にもなっている。わが国を含め欧米諸国の多くが米国に同調する一方、反米の立場を固持するロシア、中国、キューバ、ニカラグア等がそれに対抗している、という二極化にどうしても人々の関心が集まるが、ラテンアメリカから見た場合、別の検討の余地がある。ラテンアメリカでは、域内の問題を同域内で解決するラテンアメリカ諸国間の「協調」や「連帯」という古くからの歴史を有する。かつて八〇年代の中米紛争のときにコンタドーラ・グループ（メキシコ、コスタリカ、ベネズエラ、パナマによる）が結成され、独自で問題解決に当たったことが想起される。

そのうえで、第5章から教えられるように、わが国との関係から本問題を検討することも視野に入れるべきであろう。わが国がベネズエラと同様の状況に陥ったとすれば、換言すれば、われわれが「内政干渉」を受け、あるいは国家（政府）による「強権」が行使されるという状況にあると仮定して、いろいろ思考を巡らせ思索にふけることにこそ、真の学びの意義があるではなかろうか。民主主義がいかに脆いかという、ラテンアメリカの歴史的体験は、決して他人事ではないはずである。

次に、使用するデータや資料の扱いについてである。タイムリーな出来事を考察するうえで、かりにもマドゥロ政府側からの資料が開示されないのであれば、あるいはデータにバイアスがかかっており信憑性が少ないとすれば、研究遂行上、どうしても入手できるマスメディアや研究機関等、あるいは他国のデータを使わなければならない。そのときに問題なのは、果たして研究者が、またそれを概して無批判で受容しがちな一般読者が、どこまでそれを精査できるかは実際には難しいことである。それは第4章でも論じられていた通りである。それでも、できるだけ客観的な思考のもと、物事の把握に努めなければ、いわゆる「真実」は見えてこないということである。

しかし、その一方で、客観的に理解するとは可能なことであろうか。そもそも「われわれ」一人ひとりが置かれている状況やこれまでの人生の歩みが違うだけに、当該問題から、どのような視点で、何を共感するかは、個人差があるはずである。何よりも、その共感には主観という概念を介在させずには成立しないはずである。ものを理解するには自己の共感が必要であるが、それは主観と客観の葛藤の中で行われる作業であることを再確認しなければならない。

コロナ禍でのベネズエラ問題の意義

シンポジウムが行われた二〇一九年一一月の頃にはまったく予期もしていなかったが、中国の武漢で発生し、世界中で今日までわたしたちを苦しめ続けている新型コロナウイルスによる影響は深刻である。同様に、ベネズエラの当該問題の行方にも今後大きく関わってくることが予想される。

コロナ禍の影響を全く受けていない国や地域が皆無であることからも、これは地球規模の危機で、戦禍に等しい。二〇〇万人以上（二〇二一年一月現在）がこれで亡くなっているのだ。ところで、スペイン風邪（一九一八～一九年）による死者は最低五〇〇〇万人であったといわれている。同時期はちょうど第一次世界大戦中であったが、このパンデミックが大きく影響し同大戦を早く終結に導いたともいわれているほどである。長い歴史において、この度のコロナ禍は単なる人類史上の一過渡期に過ぎないのかもしれない。しかし、深刻な現状を目の当たりにしている現時点では、コロナの完全な収束はまだ先のことである可能性が高く、桁違いの死者の数に達することを残念ながら覚悟しておかねばならないのかもしれない。筆者は、コロナ禍がこれまでの社会や経済システムを大きく変容させる起爆剤になる可能性を全く否定できないと考えている。

一つには、国家（政府）と国民の関係が懸念される。換言すれば、民主主義や人権や強権政治などの政治的テーマに関わる問題である。コロナ禍でどれだけ政府の経済支援があるのか、医療支援があるのかという問題が、政府と国民の関係をプラスにもマイナスにも大きく変える要素となるであろう。さらに、これにコロナ禍の緊急事態宣言や諸外国におけるロックダウンなどによって、国民への統制や拘束なども含めて、今後も政府と国民の関係はどの国においても緊迫することが考えられる。

もう一つは、「連帯」である。「連帯」と聞けば、まずは社会主義政策の中で出てくる概念であると想起する。個人や家族を乗り越え、地域住民のあいだでの「連帯」がキューバや二一世紀型社会主義のモデルとしてのベネズエラの事例をみるとわかる。ベネズエラの地域住民のコミューン(Comunas)やその下部組織である地域住民委員会(Consejos comunales)では、財、サービス、資源、公共事業などの恩恵を享受し、その立案と実施に市民が直接関わる、まさに公正な社会を目指すための自発的な政治参加が期待されている。コロナ禍においてはとくに医療面でも、地域住民間の「連帯」を強化し、自助力を高めている。このような地域社会の自助組織が、そしてそれらを統括するマドゥロ政権の政治体制が、世界を支配している新自由主義やグローバリゼーションにどこまで打ち勝つことが出来るかは定かではない。しかし、少なくともこれまでの経済体制のなかで疎外され続けた社会的弱者の発する「声」を、これらの活動を通じて看取できるのではないだろうか。

またこのようなコミューンや地域住民委員会のなかで重要な役割を担っているのが地域の女性である。女性の「自活」や「自立」は、貧困や格差という問題から脱却する糸口として今まで比較的軽視されてきた重要な視点である。そのために、地域住民活動の中での女性たちの「連帯」が求められている。まさに女性による「領域化」を目指しているといえよう。一般に、DV(家庭内暴力)およびその他の暴力は、コロナ禍において増加傾向にあるといわれており、その法的解決やセラピーなどを含む問題解決に取り組んでいる。

ところで、連帯の精神と実践はキリスト教の教えのなかにも見られる。一八世紀、米国南西部のメキシコとの辺境地帯（現在のテキサス州のサンアントニオ周辺）でのカトリック修道士たちは、ミッション（伝道所）のなかで先住民を集め教化活動を行ってきたが、同時に自給自足生活のための農耕を彼らに伝授してきた。自給自足生活は聖職者と先住民の両方の糧を自分たちで確保することを意味していた。そのために共同生活し、連帯の精神が重視された。ミッションの役割はキリスト教への改宗と教化活動という点だけをとって精神面の「抑圧」の一言で片づけられるものではない。ミッションでの教えは、辺境の先住民（インディアン）の不安定な移動型生活から、安定した定住型生活へと移行することに寄与したのである。

もう一つの「連帯」の事例をあげるとすれば、チリの「共同鍋」（Ollas Comunes）という地域女性を中心とする住民による炊き出し活動であろう。古くは一九二九年の世界恐慌の時にその初期形態が見られ、一九八〇年代のピノチェ軍事体制下で大々的に行われた女性による連帯活動である。この歴史的実践がこのコロナ禍の現在、再び脚光を浴びている。首都サンティアゴの低所得者層が多いプエンテ・アルトでは、市当局の支援のもと、一四の共同鍋で、五〇〇〇人の地域住民に食事を提供している。

コロナ禍において、概して嬉しいニュースが減っている感があるが、このような連帯はわたしたちの近未来の展望に少しでも明るい兆しを与えてくれるものにちがいない。地域住民の、とりわけ社会的弱者間の連帯による自助力は、人間が「生きる」ことの意味を改めて問いかけているように思う。このことはベネズエラ問題からわたしたちが共鳴できる万国に共通した教訓になるのではなかろうか。

コロナ禍により、従来の「格差」という問題がより顕著に生じているといえよう。経済や所得、雇用機会、民主主義の質と強度、暴力と犯罪、衛生、医療、教育、インターネットへのアクセス環境など、従来の諸格差がより深刻化している。概して、コロナ禍の医療対策は国単位で行われて、そこには国際的な「連帯」は極めて乏しい。これによって、医療環境における各国間の格差が露呈してきている。財政改革や医療政策などで、政府の力量が問われる危機的な時代にあるが、その過程で、国家（政府）と国民との関係に亀裂が生じ、現政権が大きく揺らぎ、混乱や動揺が生じることも懸念される。米国のトランプ政権が一期で終わった一つの背景に、このコロナ問題があったことは多くの識者の指摘するところである。さらに、「連帯」や「統一」（バイデン米国大統領就任声明）など、用いられる言葉や詳細な定義の違いはあっても、世界各国で相互扶助や自助の、精神や行動実践が再評価されてきているのではないか。グローバリゼーションは、連帯を軽視し、個の利潤追求のために、他者との極端な格差を是とする過酷な競争原理によって、社会的公正の理念から大きく逸脱してきている。しかも、コロナ禍において、それまで経済的損失を経験しなかった社会階層にまで、その負の影響が広がっている。そして、これにより今後、現行の経済システムの歯車が大きく狂ってくることまで懸念されているほどである。

ベネズエラの政治動向の行方は予測不可能である。バイデン政権になっても、緩和されることはあっても経済制裁そのものは継続される見込みが高い。そのなかで、各国はコロナ対策や医療対策を優先しなければならず、ベネズエラにおいてもそれは例外ではないはずである。混迷するベネズエラの根本的な問題解決には、しばらく年月がかかるのではないかと思われる。あるいは逆に、コロナ禍の収束が長引くことが皮肉にも功を奏し、政治変動による展開や平和的解決が急に導かれる可能性も視野に入れるべきかもしれない。今後のベネズエラの動向と進展を見守りたいと思う。

編著者　牛島　万

ベネズエラ史　年表

一四九四年	コロンブス、ベネズエラ東部のパリア地方に上陸。
一四九八年	コロンブスが沿岸を航海。
一五一〇年	スペイン人によるベネズエラ進出開始。
一五二七年	スペインの最初の植民地設立。
一七七七年	ベネズエラ総督領設置。
一七八三年七月二四日	シモン・ボリーバル誕生。
一八一〇年	カラカスの公開市参事会、スペイン総監を追放し、臨時政府を樹立、独立戦争開始。
一八一一年七月五日	ミランダ政府、独立宣言に署名。
一八一二年	最初の共和国崩壊。
一八一三年	シモン・ボリーバル、カラカスに凱旋入城。第二共和制開始。
一八一九年八月	ボリーバル独立軍、スペイン軍を破り、ボリーバルを共和国大統領に選出。
一八一九年一二月一七日	グラン・コロンビア建国。
一八二一年六月二四日	ボリーバル軍、スペイン軍をカラボボの戦いで破る。
一八二三年七月二四日	独立軍、マラカイボの戦いスペイン軍を破り、独立を決定的とする。
一八二三年一二月	米国、モンロー主義を宣言。
一八二四年一二月九日	ボリーバル軍、アヤクーチョの戦いでスペイン軍を破り、ペルーを解放。
一八二五年八月六日	独立軍スクレ、スペイン軍を破りアルト・ペルー議会創設、ボリビア共和国誕生。

一八三〇年五月六日	ベネズエラ分離独立し、第四共和制が成立。
一八三〇年一二月一七日	ボリーバル死去、その後一八四八年まで保守的な寡頭制支配が続く。
一八五四年三月二四日	奴隷制度廃止法施行。
一八五九年	エセキエル・サモーラ将軍の軍がファルコン州に上陸し、カストロ将軍は辞任。内戦始まる（～一八六三年）。
一八六四年	新憲法制定。共和国をベネズエラ合衆国に改名。
一八七〇年	アントニオ・グスマン・ブランコ将軍がカラカスを占領。以後約二〇年間実権を掌握。
一八九九年～一九〇八年	シプリアーノ・カストロ将軍による独裁政治。
一九〇八年～一九三五年	ファン・ビセンテ・ゴメス独裁政権。
一九一二年	蘭英合弁のロイヤル・ダッチ・シェル社操業を開始。
一九一四年	マラカイボ油田開発開始。
一九一七年	原油輸出開始。
一九二〇年	スタンダード・オイルなど米国の石油企業、ベネズエラに進出。
一九二六年	石油輸出、輸出品の第一位となる。
一九二八年	ロムロ・ベタンクールやラウル・レオニなどの学生を中心に労働者、民衆、一部の若手将校が加わる反ゴメス運動が起こる。
一九三〇年	メキシコを抜き、世界最大の輸出国となる。
一九三五年	ゴメスが死亡し、独裁政権終わる。エレアサル・ロペス・コントレーラスが政権を引き継ぐ。四五年まで軍人支配続く。
一九三六年	石油収入によるベネズエラの本格的変貌開始。

一九三八年	オリノコ油田開発開始。
一九四一年	民主行動党（ADECA）設立。
一九四五年	ベタンクールらAD若手指導者、軍の青年将校、軍人愛国同盟（UPM）ら改革派と合流して独裁政権を倒す（一〇月革命）。
	AD・UPM臨時政府樹立。政府委員会、ベタンクールが主宰。
一九四六年	独立政治選挙組織委員会（COPEI）結成。
一九四七年	初の自由、直接、秘密投票でロムロ・ガジェーゴス、大統領に選出。
一九四八年一一月	軍部クーデターでガジェーゴス政権倒壊、軍事評議会成立。マルコス・ペレス・ヒメネス軍政独裁（〜一九五八年）。
一九五四年七月二八日	ウーゴ・チャベス誕生。
一九五八年一月	ペレス・ヒメネス独裁政権、ララサバール空軍少将のクーデターにより倒壊。軍事評議会、のち政府評議会が発足。
一九五八年一〇月	プント・フィホ（Pacto de Punto Fijo）協定調印。
一九五八年一二月	大統領選挙で、ADのベタンクール、ララサバールを破り、選出される。二大政党（キリスト教社会党と民主行動党）間にプント・フィホ協定の成立。
一九五九年二月	ベタンクール政権発足。
一九六〇年	石油輸出国機構（OPEC）結成に参加。
一九六〇年七月	AD党から除名された左派、ドミンゴ・アルベルト・ランヘルなど、左翼革命運動（MIR）を結成。武装闘争路線をとる。
	FLNが組織される。
一九六一年三月	ベネズエラ共産党、武装闘争の方針を決定。

一九六四年	ラウル・レオニAD政権成立。共産党を合法化。共産党はゲリラ戦放棄を決議。MIRは分裂。
一九六七年	カストロ、第一回OLAS（中南米連帯機構）でベネズエラ共産党を日和見、改良主義として、また、中南米反動政権に対するソ連の援助を非難。
一九六九年	AD内部分裂によりCOPEIのラファエル・カルデラ勝利する。
一九七四年	カルロス・アンドレス・ペレス民主行動党政権（AD）成立。
一九七五年	石油国有化、国営ベネズエラ石油会社（PDVSA）設立。
一九七九年	ルイス・エレーラ・カンピン（キリスト教社会党COPEI）政権成立。
一九八一年	ベネズエラ通貨大暴落。国際金融機関と二七〇億ドルの累積債務のリスケ交渉開始。
一九八二年一二月一七日	チャベス、ボリーバル革命運動二〇〇（MBR-200）を設立。
一九八九年	カルロス・アンドレス・ペレス民主行動党（AD）政権成立、IMFの勧告に基づく新自由主義政策を実施。
一九八九年二月二七日～二八日	食料を求めた数万人のデモ、人民蜂起、カラカソ大暴動事件が勃発。二〇〇〇～三〇〇〇名が犠牲に。
一九九二年二月四日	チャベス中佐が軍事蜂起に失敗。チャベス、逮捕、投獄される。
一九九三年五月	ペレス大統領、内務省機密費不正使用疑惑で職務停止、失脚。ベラスケス大統領が九四年二月まで政権を担当。チャベス恩赦で釈放。
一九九三年一二月	大統領選挙、COPEIの創始者、中道の少数党の連立候補国民統一党（Convergencia）候補の元大統領カルデラ、ペレス政権の緊縮経済政策を批判し勝利。
一九九四年三月	チャベス釈放される。
一九九四年一二月一四日	チャベスがカストロに招かれハバナで初会談。

一九九七年	チャベス、ボリーバル革命運動二〇〇を、「五共和国運動」党（MVR）に名称を変更。
一九九八年一二月六日	チャベスが大統領選挙で当選、プント・フィホ体制崩壊。
一九九九年二月二日	チャベス大統領就任。
一九九九年七月二五日	制憲議会選挙でチャベス派一三一議席中一二六議席獲得。AD二〇議席、COPEI実質上消滅。
一九九九年一二月二〇日	ボリバリアーナ新憲法発布。
二〇〇〇年七月三〇日	新憲法下の大統領選挙で、チャベス、六〇・三%を獲得し、アリアス・カルデナス候補（Causa Rなどの統一候補）三七・五%を破り、大統領に再選出される。
二〇〇〇年一〇月一日	キューバとエネルギー協力協定を締結。
二〇〇一年一一月一二日	憲法第二三六条第八項に基づき、国会、大統領に法律決定を授権し、授権法制定される。ただし一年間の時限立法。
二〇〇一年一二月一日	新石油法公布。同法で今後の外国投資の合弁企業では、株式のPDVAが五一%をもつことを義務付ける。
二〇〇一年一二月一〇日	土地・農村開発法施行、全国ストライキ決行。
二〇〇二年二月二六日	国営ベネズエラ石油公団（PDVSA）取締役会、新総裁の任命に抗議し辞任を拒否。
二〇〇二年三月一五日	PDVSA幹部、取締役会の更迭に抗議して全面的ストライキを行う。
二〇〇二年四月七日	チャベス大統領、PDVSAの七名の幹部の解雇と一二名の幹部職員の勧奨退職を発表。ベネズエラ労働者連合（CTV）、企業家（FEDECAMARAS）チャベス退陣まで無期限ゼネストを宣言。
二〇〇二年四月一一日	チャベス退陣を要求し、軍の一部、企業家、労働組合、クーデターを行い、チャベス大統領を幽閉。

二〇〇二年四月一二日	反チャベス派、カルモナ暫定政府大統領に就任、チャベス主義の一掃、一年以内の総選挙の実施を発表。憲法停止、国会解散、最高裁長官、検事総長、会計検査委員長、護民官を罷免。
二〇〇二年四月一三日	チャベス派、全国でクーデターに抗議、チャベス深夜、帰還する。
二〇〇二年五月	ペドロ・カルモーナ、コロンビアに脱出、後にアメリカに亡命。
二〇〇二年一二月	チャベス退陣を求め、石油産業を中心としたゼネスト、キューバへの原油輸出停止（〜二〇〇三年二月）。
二〇〇三年二月	反チャベス派、石油ストの実質的終結を宣言。石油関係で七六億ドルの被害を与える。
二〇〇三年四月	居住区の中へ（Barrio Adentro）運動など三一の社会計画を開始。
二〇〇四年八月一五日	チャベスの罷免を問う国民投票で、チャベス勝利。
二〇〇四年一二月一三日	チャベス、キューバを訪問、二六項目にわたる経済協力協定を締結。キューバへの石油供給価格を設定。
二〇〇四年一二月二四日	チャベス大統領、北京大学における講演でベネズエラにおける社会主義市場経済を提唱。
二〇〇五年一月一八日	ライス国務長官（予定）、米国議会の聴聞会で、ベネズエラ・ボリーバル共和国を「近隣諸国に悪影響を及ぼす否定的勢力」と批判。
二〇〇五年一月三〇日	チャベスが「二一世紀型社会主義」打ち出す。
二〇〇五年一二月四日	国会議員選挙を反チャベス派がボイコット、全議席をチャベス派が獲得。
二〇〇六年二月一六日	ライス米国務長官、チャベスに対する予防戦略として、積極的に反チャベス統一戦線の結成を呼びかける。
二〇〇六年六月二九日	ベネズエラ主導のもとでペトロカリベ創設される。一四ヶ国が署名。

二〇〇六年一一月四日	マール・デル・プラータで米州首脳会議開催される。ベネズエラなどの反対で米国推進のFTAAについて合意できず。
二〇〇六年一二月三日	チャベス大統領、大統領選で七三〇万票、六二・八％獲得、野党のロサーレス候補四二八票、三六・九％獲得に圧倒的差をつけて再選される。
二〇〇六年一二月六日	チャベス、ベネズエラ社会主義統一党（PUSV）の結成を呼びかける。
二〇〇七年二月八日	カラカス電力の筆頭株主の米企業AES社から株を購入。国有化。
二〇〇七年二月一二日	米ベリゾン社のCANTVを政府が購入し国有化。
二〇〇七年四月一四日	ベネズエラ、世銀に最後の債務（二〇一二年分）を前倒しで返却。これにてIMF、世銀への債務はゼロとなる。
二〇〇七年一二月	チャベス提出の憲法改正案が国民投票で僅差で否決。
二〇〇八年三月	最大鉄鋼メーカーであるSidor（オリノコ製鉄会社）の国有化を発表する。
二〇〇八年四月	アルミ産業の国有化。
二〇〇八年八月	ベネズエラ石油公社（PDVSA）、Cemex社（メキシコ）を接収する。
二〇〇九年二月	チャベスの憲法修正案（再選回数制限の撤廃）が、国民投票で得票率五四・八五％を獲得し、可決。
二〇一一年六月	チャベス、骨盤膿瘍でキューバで手術したと発表。
二〇一一年九月	チャベス、ガン第四期治療でキューバを訪問。
二〇一二年一〇月	大統領選挙でウーゴ・チャベス現大統領、ベネズエラ社会主義統一党（PSUV）党首が、右派の「民主団結会議（MUD）」の統一候補、エンリケ・カプリーレス正義第一党（PJ）党首に一〇ポイント余の差をつけて再選される。

二〇一二年一二月	チャベス、再手術のため、キューバを緊急に訪問すると発表。後継者として、ニコラス・マドゥロ副大統領を指名。
二〇一三年三月	チャベス死去（享年五八歳）。
二〇一三年四月	ボリーバル革命推進派の統一候補ニコラス・マドゥロ、七五七万票（五〇・七八％）を獲得し、七三〇万票（四八・九五％）を獲得した民主団結会議（ＭＵＤ）派の統一候補カプリーレス・ロドンスキィーに僅差で勝利。
二〇一三年四月一九日	マドゥロ大統領就任。
二〇一四年一月	ニコラス・マドゥロ大統領の辞任あるいは転覆の強制を促す「出口」と称する反政府計画が、「平和的デモ」への呼びかけを通じて実行。
二〇一四年二月	反政府派による抗議デモ拡大、「出口作戦」で暴力的破壊行動行われ、四二名の死者が出る。Ｌ・ロペス出頭し逮捕される。
二〇一四年五月	マドゥロ大統領が大統領授権法を用いて六月一日より社会計画の再編を実施する旨表明。
二〇一五年三月	オバマ米大統領、ベネズエラは米国の安全保障及び対外政策上の脅威であるとして、国家緊急事態を宣言し、「一四年ベネズエラの人権及び市民社会擁護法」の適用対象者を七名拡大する旨の大統領令を発令。
二〇一五年一二月	厳しい経済情勢の中で熾烈な戦いが行われ、国会議員選挙で反チャベス派が、総議席一六七の絶対多数、三分の二の一一二議席を獲得し圧勝。
二〇一六年一月三日	新国会議員一一二名が投票を行い、アルプＡＤ党書記長を新国会議長に、マルケス議員（ＵＮＴ党）を第一国会副議長に任命。
二〇一七年一月五日	ベネズエラ国会、新国会議長にフリオ・ボルヘス（前野党連合ＭＵＤ院内総務、正義第一党）、ゲバラ第一副議長（大衆意志党）、フェルナンデス第二副議長（民主行動党）を選出。

二〇一七年四月	野党、三月末の最高裁判決の間違いを批判し、ベネズエラ全土で大規模デモ拡大。過激な暴力デモが七月末まで続く。一六三名死亡。
二〇一七年七月	制憲議会選挙、最終的に野党、参加を離脱し、チャベス派のみで実施。
二〇一七年八月	全議席がチャベス派の制憲議会を設置。
二〇一七年八月	米財務省、マドゥロ大統領の米国にあるすべての資産を凍結するなど金融制裁措置を発動。
二〇一八年一月五日	国会、バルボサ国会議長（新時代党）、レジェス第一副議長（革新進歩党）、マルキナ第二副議長（正義第一党）、グアイドー野党連合MUD院内総務（大衆意志党）を選出。
二〇一八年五月二〇日	大統領選で、拡大祖国戦線のニコラス・マドゥロ現大統領が、得票数五、八二三、七二八票（六七・七％）、第二位ファルコン氏得票数一、八二〇、五五二票（二一・一％）を退け再選される。
二〇一八年一〇月九日	IMF、ベネズエラ二〇一九年、一、〇〇〇万％のハイパーインフレの見込みと発表。
二〇一九年一月五日	国会議長に大衆意志党のグアイドー、第一副議長E・サンブラーノ（AD）、第二副議長S・ゴンサーレス（新時代党）選出。
二〇一九年一月二三日	グアイドー議長、反政府集会で憲法三三三条及び三五〇条に基づき、暫定大統領を自ら宣言。トランプ大統領、直ちに声明を発表し、暫定大統領と承認。
二〇一九年一月	米国が石油貿易をめぐる制裁措置を発動。
二〇一九年七月五日	バチェレ国連人権高等弁務官は、国連人権理事会に、ベネズエラの人権状況に関する報告書を提出。
二〇一九年七月六日	ロシア、中国、トルコ、イラン、キューバ、ニカラグア、ボリビアは、バチェレ国連人権高等弁務官の報告書を拒否すると表明。
二〇一九年八月二二日	IMF、インフレが一〇〇万％に改善したと発表。差異は九〇〇万％。

二〇一九年九月八日	バチェレ国連人権高等弁務官、最近の米国の制裁は、ベネズエラの状況を悪化させるだけとのべる。
二〇二〇年一月五日	ベネズエラ国会、議員総数一六七人のうち、与野党を含め一五一名の議員が出席、八一名の支持を得て、新指導部を選出。国会議長ルイス・パーラ（正義第一党）、第一副議長フランクリン・ドゥアルテ（キリスト教民主党）を選出。
二〇二〇年三月一八日	ベネズエラ、IMFに五四〇〇億円支援要請。新型コロナ対策で、五〇億ドル（約五四〇〇億円）の金融支援を申請するも、翌日、IMFは拒絶。
二〇二〇年三月二八日	ロシア国営石油ロスネスチ、米国の制裁を恐れ、ベネズエラへのガソリン輸出を止める。
二〇二〇年三月三〇日	ロシア国営石油ロスネフチ、ベネズエラ資産を売却。米制裁逃れ狙う。
二〇二〇年五月三日	マドゥロ政権転覆を企てた米国人傭兵によるギデオン作戦を阻止。グアイドーおよび米国政府は関与を指摘されるも否定。
二〇二〇年五月二〇日	国連安保理事会でグテレス事務総長、パンデミックに対する力を弱めるので、ベネズエラに対する米国の制裁は止めるよう述べる。
二〇二〇年六月一日	ベネズエラ政府と主要野党G-四（大衆意志党、正義第一党、民主行動党、新時代党）と汎米保健機構の立ち合いのもとに、コロナ対策で協力することを合意。
二〇二〇年六月一五日	メキシコ、オブラドール大統領は、ベネズエラに石油販売の用意があると述べる。これはベネズエラ政府が要請したものではない。ガソリンの購入が人道的な必要性のものであれば、販売すると述べる。
二〇二〇年一二月八日	国会議員選挙実施、与党、野党の一部が参加して行われ、低投票率の中、与党側が勝利。
二〇二一年一月六日	EU、グアイドーに対し暫定大統領と見なさないことを明らかにする。

二〇二一年一月二〇日	国会、一四の常設委員会の構成を発表。外交委員会委員長に野党のティモテオ・サンブラーノ（市民変革党）を指名。
二〇二一年一月二七日	ドミニカ共和国とドイツ各政府は、グアイドーを暫定大統領とは見なさないことに決定。
二〇二一年二月二日	デルシー・ロドリゲス副大統領、これまで米国による経済封鎖の被害は一、〇二五億ドルに上ると発表。
二〇二一年二月四日	パナマ政府、グアイドーにより任命されたファビオラ・サバルセをベネズエラの正式代表とは認めないと発表。
二〇二一年二月五日	ホルヘ・ロドリゲス国会議長、国会襲撃容疑者は、CIAと契約し、コロンビアから派遣されたものであると発表。
二〇二一年二月一六日	国連報告官、ベネズエラへの制裁が国際法に違反していることを認め、米国政府はベネズエラの体制転換を図る戦略として行っている抑圧的な手段を解除するように主張。

出所：新藤通弘の作成による。年表の作成に当たり、部分的に以下を参照した。

ローリー・キャロル、伊高浩昭訳『ウーゴ・チャベス―ベネズエラ革命の内幕』岩波書店、二〇一四年。

坂口安紀『ベネズエラ――溶解する民主主義、破綻する経済』中公選書、二〇二一年。

ま行

や行

ら行

た行

な行

は行

か行

さ行

は行

ま行

ら行

事項索引

アルファベット

あ行

索 引

人名索引

あ行

か行

さ行

た行

村上勇介（むらかみ・ゆうすけ）
京都大学東南アジア地域研究研究所教授、博士（政治学・筑波大学）。ラテンアメリカ地域研究、ラテンアメリカ政治研究専攻。主要業績：*Sueños distintos en un mismo lecho: una historia de desencuentros en las relaciones Perú-Japón durante la década de Fujimori.* 2ª. edición, Lima, Instituto de Estudios Peruanos, 2019. *Perú en la era del Chino: la política no institucionalizada y el pueblo en busca de un Salvador*, 3ª. edición, Lima, Instituto de Estudios Peruanos, 2018.『「ポピュリズム」の政治学――深まる政治社会の亀裂と権威主義化』（編著）国際書院、2018。*Desarrollo, integración y cooperación en América Latina y Asia- Pacíficos: perspectivas y rol de Japón* (Yusuke Murakami ed.), Lima, Instituto de Estudios Peruanos, 2017.

岡田　勇（おかだ・いさむ）
名古屋大学国際開発研究科准教授、博士（政治学・筑波大学）。比較政治学、ラテンアメリカ地域研究専攻。主要業績：“Improving Public Policy for Survival: Lessons from Opposition-Led Subnational Governments in Bolivia,” *Latin America Roshu* 54, 2020.「ボリビア・モラレス政権の『ポピュリズム』――インフォーマルな支持基盤の隆盛」村上勇介編著『「ポピュリズム」の政治学――深まる政治社会の亀裂と権威主義化』国際書院、2018。“Evo Morales, cooperativas mineras y el difícil parto de la nueva ley minera,” *Decursos* 34, Cochabamba, CESU-UMSS, 2016.『資本国家と民主主義――ラテンアメリカの挑戦』名古屋大学出版会、2016。「ラテンアメリカにおける石油・天然ガス部門の国有化政策比較――1990 ～ 2012 年の主要生産国についてのパネルデータ分析」『アジア経済』56 巻 3 号、2015。

新藤通弘（しんどう・みちひろ）
中央大学文学部史学科卒。ラテンアメリカ（特にキューバ、ベネズエラ）現代史専攻。2000 ～ 2013 年、明治大学、東京国際大学商学部、城西大学経済学部、明治学院大学で兼任講師を務める。2015 ～ 2016 年、キューバ経済改革導入委員会にて、中小企業論、高齢化社会論についてスペイン語で講演。主要業績：『現代キューバ経済史』大村書店、2000。『革命のベネズエラ紀行』新日本出版社、2006。『見た、聞いた！ キューバ改革最前線』千葉県 AALA 連帯委員会、2013。「ラテンアメリカにおける新しい社会主義運動の現況と特質」『早稲田大学比較法研究所講演記念集』早稲田大学比較法研究所、2010。「キューバ」『世界地名大辞典 9 中南アメリカ』朝倉書店、2014。「キューバ革命の再検討」『歴史評論』歴史科学者協議会、1996 年 5 月。「キューバ経済の現状と課題」『アジ研ワールド・トレンド』アジア経済研究所、2009 年 9 月。

山崎圭一（やまざき・けいいち）
横浜国立大学大学院国際社会科学研究院教授。途上国経済、ブラジル地域開発財政、地方自治専攻。主要業績：“Humanitarian co-production in local government: the case of natural disaster volunteering in Japan” (Co-authors: Brian Dollery and Yukio Kinoshita), *Local Government Studies*, VL 46, IS 6, 2020.「ボルソナロ政権誕生から約一年――ブラジル社会はいま」『世界』12 月号、No.927、2019。「第 10 章 途上国の経済と社会」横浜国立大学経済学部テキスト・プロジェクトチーム編『ゼロからはじめる経済入門――経済学への招待』有斐閣、2019。“Is Bigger Really Better? A Comparative Analysis of Municipal Mergers in Australian and Japanese Local Government” (Co-author: Brian Dollery), *International Journal of Public Administration*, VL 41, IS 9, 2018.「第 6 章 ラテンアメリカ経済社会の変化――ブラジルの住宅政策に焦点を当てて」『ラテンアメリカはどこへ行く』（後藤政子との共編著）ミネルヴァ書房、2017。

編著者・執筆者略歴

【編著者】

住田育法（すみだ・いくのり）

京都外国語大学外国語学部ブラジルポルトガル語学科教授。ブラジル地域研究、ブラジル史専攻。主要業績：「戦間期ブラジルの独裁政権とナショナリズムの高揚」根川幸男・井上章一共編『越境と連動の日系移民教育史――複数文化体験の視座』ミネルヴァ書房、2016。「ブラジルにおける争点政治による政党政治の安定化と非エリート層の台頭」（村上勇介との共著）村上勇介編『21世紀ラテンアメリカの挑戦――ネオリベラリズムによる亀裂を超えて』京都大学学術出版会、2015。『ブラジル国家の形成――その歴史・民族・政治』（伊藤秋仁・富野幹雄との共著）晃洋書房、2015。『ブラジルの都市問題――貧困と格差を越えて』（監修、萩原八郎・山崎圭一・田所清克との共編著）春風社、2009。"Lula, Chavez, Obama: novas lideranças americanas do século XXI" (co-autor com Silva, Dilma de Melo) 京都外国語大学『研究論叢』第73号、2007。『ブラジル学を学ぶ人のために』（富野幹雄との共編著）世界思想社、2002。

牛島　万（うしじま・たかし）

京都外国語大学外国語学部スペイン語学科准教授。博士（言語文化学・京都外国語大学）。米国ヒスパニック、米墨関係史、ラテンアメリカ地域研究、ラテンアメリカ近現代史専攻。主要業績：『米墨戦争前夜のアラモ砦事件とテキサス分離独立――アメリカ膨張主義の序幕とメキシコ』明石書店、2017。『現代スペインの諸相――多民族国家への射程と相克』（編著）明石書店、2016。『アメリカのヒスパニック＝ラティーノ社会を知るための55章』（大泉光一との共編著）明石書店、2005。「リオグランデ境界をめぐる米墨戦争の開戦経緯と戦争原因論――メキシコの戦争指導との関連を中心に」『軍事史学』55巻1号、2019。「アメリカ膨張主義とメキシコの対応――米墨戦争（1846年～1848年）の性格をめぐる論争を中心に」『ラテンアメリカ研究年報』18号、1998。

【執筆者】

野口　茂（のぐち・しげる）

天理大学国際学部外国語学科スペイン語・ブラジルポルトガル語専攻教授、ラテンアメリカ地域研究、ラテンアメリカ近現代史専攻。主要業績：「メキシコ日系自動車産業をめぐる日本人通訳者の動き――メキシコ・バヒオ地区を中心に」『アメリカス研究』第23号、天理大学アメリカス学会、2018。「南米ベネズエラから読む『ドン・キホーテ』――トゥリオ・フェブレス・コルデロ『アメリカのドン・キホーテ』を中心に」『スペイン学』第19号、論創社、2017。「チャベス政権による貧困政策の理念と現実――ベネズエラ貧困層コミュニティにおけるNGO「信仰と悦び」の教育支援活動を中心に」『天理大学学報』第66巻第2号、2015。「ベネズエラの都市貧困コミュニティ――地域住民委員会による上からの創造」『創造するコミュニティ――ラテンアメリカの社会関係資本』晃洋書房、2014。「戦前期のアメリカスをめぐる日系人の国際移動――南米ベネズエラへの転住者を中心に」『アメリカス世界における移動とグローバリゼーション』むさし書房、2008。

混迷するベネズエラ

21世紀ラテンアメリカの政治・社会状況

2021年3月31日　初版第1刷発行

編著者	住田 育法
	牛島 万
発行者	大　江　道　雅
発行所	株式会社 明石書店

〒101-0021 東京都千代田区外神田6-9-5
電 話　03（5818）1171
FAX　03（5818）1174
振 替　00100-7-24505
http://www.akashi.co.jp

装　丁	明石書店デザイン室
印　刷	株式会社文化カラー印刷
製　本	本間製本株式会社

（定価はカバーに表示してあります）　ISBN978-4-7503-5173-5